Nouvelle méthode pour interpréter LE TAROT

Arcanes complètes mineures et majeures

PAR LIONEL CHAYER
BAC en Sc. rel.

Du même auteur:

Comment tirer aux cartes comme le faisait ma mère
Édimag inc., © 1994

Horoscope sentimental et sexuel
Éditions du Perroquet, © 1996

C. P. 325, Succursale Rosemont
Montréal (Québec), Canada H1X 3B8
Téléphone: (514) 522-2244
Télécopieur: (514) 522-6301
Courrier électronique: pnadeau@edimag. com

Éditeur: Pierre Nadeau
Photo: Pierre Dionne
Revision: Luc Asselin, Thérèse Nicolas

Dépôt légal: troisième trimestre 2000
Bibliothèque nationale du Québec
Bibliothèque nationale du Canada

ISBN: 2-89542-015-7

L'éditeur bénéficie du soutien de la Société de développement des entreprises culturelles du Québec (SODEC) pour son programme d'édition.

Nous reconnaissons l'aide financière du gouvernement du Canada par l'entremise de l'édition (PADIÉ) pour nos activités d'édition.

TABLE DES MATIÈRES

Édimag inc. est membre de l'Association nationale des éditeurs de livres.

DISTRIBUTEURS EXCLUSIFS

Pour le Canada et les États-Unis
Les Messageries ADP
955, rue Amherst
Montréal (Québec) H2L 3K4
Téléphone: (514) 523-1182
Télécopieur: (514) 939-0406

Pour la Suisse
Transat S. A.
Route des Jeunes, 4 Ter
C. P. 1210
1 211 Genève 26
Téléphone: (41-22) 342-77-40
Télécopieur: (41-22) 343-46-46

Pour la France
Librairie du Québec / DEQ
30, rue Gay Lussac
75005 Paris
Téléphone: (1) 43 54 49 02
Télécopieur: (1) 43 54 39 15
Courriel: liquebec@cybercable.fr

AVANT-PROPOS

Le tarot est avant-tout un art et aussi une science plus que millénaire. Il est et devient un aide-mémoire nous aidant à traduire en idéogramme la pensée et de ce fait tirer de ces symboles des indications prévisibles sur l'état mental, psychique et psychologique, moral et physique de celui qui le consulte, lui permettant devant des choix souvent confus de prendre la ou les bonnes décisions. C'est par le symbole, clé et véhicule initiatique par excellence de tout langage que nous y parviendrons.

Le symbole se compose de trois parties, trilogie inséparable de tout ce qui existe. Première partie, le côté visible du symbole est représenté par le zodiaque et son cortège planétaire apparenté au corps du symbole. Les étoiles, le soleil, la terre et tout ce qui y vit sont visibles, le tarot comme les cartes sont imagés et sujet à être traduits et interprétés dans le langage symbolique, que ce soit par leurs couleurs, leurs nombres et le contexte dans lequel ils sont placés ou observés.

Deuxième partie, le côté invisible du symbole représenté par le nombre et ses propriétés vibratoires associé à l'âme du symbole. Par exemple, le nombre **UN** (1) peut désigner tout ou rien s'il ne se traduit pas dans un contexte quelconque. Un être, un animal, un bouc ou une chaise, etc. situe le chiffre **UN** sinon il ne veut rien dire.

Troisième partie, la conscience de l'interprète, sans lui ou elle, le symbole demeure muet. Plus la personne a de la connaissance au niveau de traduire et d'interpréter le symbole, plus elle ouvre les possibilités d'actions, de compréhension du consultant(e) face à son environnement.

En résumé, le symbole est à la fois visible (l'image du corps du symbole), invisible (les nombres ou l'âme du symbole) et permet aux états multiples de la conscience d'élargir son libre arbitre (l'interprète ou la conscience du symbole). Notez que le libre arbitre existe dans la mesure où l'on en est conscient et il est proportionnel aux actes et actions commis dans le passé.

Le tarot est composé de 22 arcanes majeurs et de 56 lames mineures pour un total de 78 lames. L'arcane en éthymologie veut dire mystère, énigme à déchiffrer et à interpréter. Les lames signifient les vagues successives et quotidiennes de la vie jour après jour. On appelle aussi LAMES les 22 arcanes majeurs lorsqu'elles sont interprétées dans le tout.

Le tarot comme déjà vous le pressentez «n'est pas un jeu» comme plusieurs le décrivent, mais des idéogrammes ou graphiques colorés et numérotés associés aux 4 éléments (feu, terre, air, eau) et à leurs triplicités (opc). C'est par le biais du symbolisme que nous pourrons traduire ou interpréter selon la succession ou le déploiement des lames. Lié aux 12 lois cosmiques, associé aux 12 signes du zodiaque, chaque lame est numérotée de 1 à 78. La lame 78 (le fou) est aussi associée au zéro, c'est-à-dire à l'alpha et l'oméga (le début ou la fin) .

INTRODUCTION

La connaissance au niveau symbolique des éléments, des couleurs, des nombres, des graphiques nous sera très utile pour interpréter les lames du tarot. Le tarot dans son ensemble permet aussi de découvrir à quel point nous sommes intuitifs. La vie nous parle à travers les différents symboles contenus dans les tarots. L'amour, le travail, les joies, les peines, la santé et surtout le «pourquoi» de l'existence de même que la vision spirituelle de l'être y sont imprégnés symboliquement.

À ne pas oublier que l'univers est animé par une énergie incroyable et en constante transformation. Cette même énergie est alimentée par quatre grands éléments qui seront la base de l'interprétation du tarot. Cette même énergie est représentée par des milliards d'étoiles. Cette multitude d'énergie qui nous entoure a fait naître le nombre et ses propriétés vibratoires. Du microcosme au macrocosme, de l'infiniment petit à l'infiniment grand, tout est semblable comme le précise la loi d'hermes. Tout ce qui est en haut est comme tout ce qui est en bas mais possède des vibrations différentes; à nous de les comprendre. La physique, aujourd'hui, s'y intéresse grandement et en arrive à la même conclusion (lire L'esprit, cet inconnu, la Barque du temps de Jean E. Charron, physicien de renommée mondiale).

Revenons donc à nos quatre éléments qui, comme je le souligne, sont formés chacun d'une trilogie, corps-âmeconscience. Côté numérique cela nous donne 4 éléments multipliés par leurs triplicités égalent 12 nombres ou lois cosmiques, liés aux 12 signes zodiacaux, aux 12 planètes et aux 12 maisons astrales. Ces 12 premiers nombres seront à la base de toutes analyses (incluant les éléments qu'ils représentent) que vous ferez, de la vie de ceux qui consulteront et serviront d'outils de travail pour traduire et interpréter le tarot. Il est possible que ces notions semblent imprécises mais au fur et à mesure que vous avancerez dans la lecture et la compréhension de ce livre d'étude sur les tarots, vous découvrirez par les différents tableaux, toutes les structures et significations de chaque lame du tarot.

Relisez plusieurs fois les différents chapitres et tableaux au complet avant de commencer à interpréter les lames du tarot.

Important: l'analyse que vous faites d'une personne qui vous consulte (ou de vous-même) doit se limiter à prévenir, à orienter et à guider les personnes et non à prédire. Le libre arbitre existe comme je l'ai déjà mentionné. La personne, une fois prévenue de ce qui risque de se passer, peut atténuer ou changer le cours des événements la concernant puisqu'on lui a permis de le savoir. Elle agit alors différemment, c'est bien sûr, mais elle ne peut changer le comportement des autres (ceux qui la côtoient ou qu'elle aime) s' ils ne le veulent pas.

Les lames du tarot sont composées de 4 groupes:

liées à l'élément feu **les pentacles**
liées à l'élément terre **les bâtons**
liées à l'élément eau **les coupes**
liées à l'élément air **les épées.**

LES PENTACLES

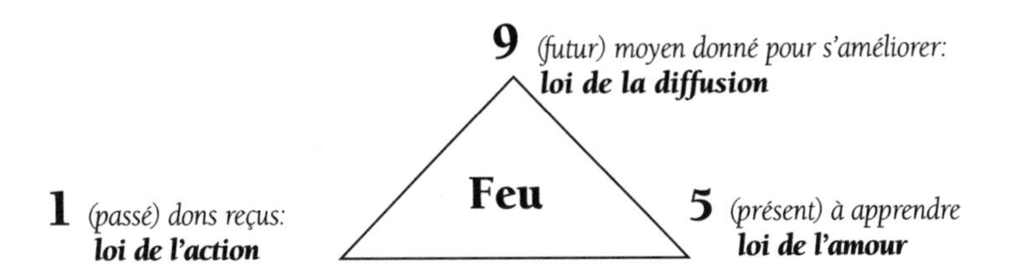

Les pentacles ou le triangle 1-5-9- (le 1 étant L'As) symbolisent nos actions.

Passé: 1 Planète ♂ Mars Signe: le Bélier

Le passé est lié au présent qui, lui, est lié au futur. C'est l'esprit dans la matière, son action (amoureuse). Les aspects favorables sont: le caractère inné de chacun(e), nos actions positives ou négatives, le pionnier, la témérité, l'énergie, le moi venu faire son oeuvre, l'action, le leader, l'initiative, la vitalité. Les aspects défavorables sont: la méfiance vis-à-vis un tempérament impulsif, violence, cruauté. Il séduit, inspire l'amour sans être réellement l'amour. L'amant chez la femme. L'aspect négatif: l'égocentrisme et l'infantilisme.

Présent: 5 Planète Bacchus Signe: le Lion

Lié au Passé et au futur. Les aspects favorables sont: l'idéalisme en amour, la noblesse, l'enfant de l'amour; l'action, le chef, l'organisateur, les plaisirs, la jouissance terrestre; la volonté, l'autonomie, le leadership, le sens des responsabilités. Les aspects défavorables sont: l'orgueil, la vanité, le snobisme, le joueur, le macho. Le 5 nous parle d'amour, d'enfants, du monde, des affaires, des loisirs, des vacances. L'aspect négatif: le snobisme et l'infantilisme.

Futur: 9 Planète ♃ Jupiter Signe: le Sagittaire

Le futur est lié au passé et au présent. Les aspects favorables sont : philosophie spirituelle, conscience des autres faite de générosité et de protection; goût de partage des richesses matérielles et spirituelles. Ça représente aussi le sportif, le protecteur, le défenseur, l'avocat, l'enseignant, le diffuseur (vendeur, professeur, journaliste). C'est également le jeu, la curiosité, la jovialité, l'éthique, l'enthousiasme, la témérité, la fierté, l'autonomie, l'exotisme, les voyages, l'étranger, le goût de liberté et d'aventure. Les aspects défavorables sont: l'orgueil, la double personnalité, l'instabilité, le jouisseur invétéré. Le 9 parle de voyages à l'étranger, d'étude ou «d'encadrement». L'aspect négatif: l'orgueil, et l'égoïsme et la pléthore.

FEU: *(1) ACTION AMOUREUSE DANS LA MATIÈRE VERS (5) UN IDEALISME QUI (9) ACCÈDE À L'ÉVEIL SPIRITUEL.*

Notez que: *tous les pentacles sont associés à cette trilogie de FEU. Tout le symbolisme du 1, 5, 9, lui appartient.*

LES BATONS

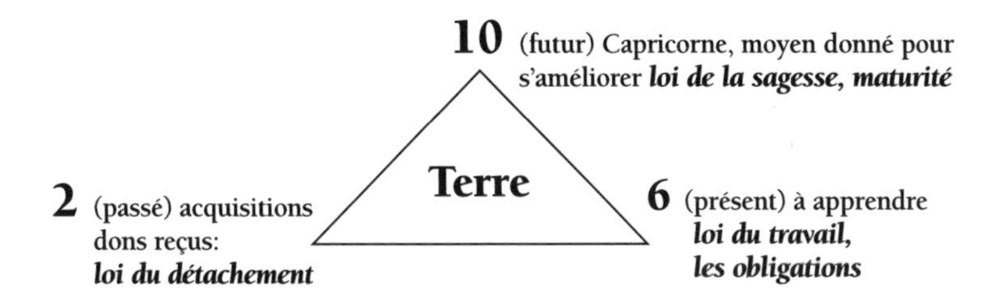

Les bâtons ou le triangle 2-6-10- symbolisent l'autorité, la carrière, le travail, la réputation, l'argent, les achats ou dépenses, mais aussi les ventes, spécialement en immobilier. Il donne aussi des indications sur notre alimentation. L'aspect négatif de ces éléments est: la possessivité, la gourmandise, l'avarice, l'insécurité, l'autoritarisme, la critique, le manque d'intégrité.

Passé: 2 Planète ☉ Terre - Soleil Signe: le Taureau

Lié au présent et au futur. Les aspects favorables sont: les acquisitions, les biens, l'argent, les accumulations gagnées à force d'efforts de travail; les achats, les dépenses, la notion de couple, le partage et l'échange avec l'autre, la loi du détachement. Le protecteur, le travailleur responsable, l'économe. Ça représente également la terre, la stabilité, la continuité, la fécondité. Les aspects défavorables sont: la possessivité, la jalousie, l'entêtement, le matérialisme, la gourmandise, l'obstination, simplisme, naïveté, lourdeur, rancune.

Présent: 6 Planète ⯓ Proserpine Signe: la Vierge

Lié au passé et au futur. Les aspects favorables sont: l'aspect «missionnaire», le service, la disponibilité (la Vierge vous sort de vos pro-blèmes). C'est un travailleur dans l'ombre, souvent mal rémunéré. Ça représente aussi l'esprit d'analyse, de critique, de synthèse. C'est également la pureté des sentiments, le don de soi. C'est la récolte, l'écologie, la voyance. Les aspects défavorables sont: la peur de souffrir, de se tromper, le sentiment d'insécurité, d'angoisse la peur de la critique, le sentiment d'infériorité.

Futur: 10 Planète ♄ Saturne Signe: le Capricorne

Lié au passé et au présent. Les aspects favorables sont: la sagesse, la maturité, pour devenir le gourou, le maître, le jugement, l'autorité, le sens du pouvoir, des responsabilités, l'intégrité. Ça représente surtout la mère et aussi la diplomatie, la politique, le savoir. Les aspects défavorables sont: le conservatisme, l'autoritarisme, le despotisme, l'austérité, la solitude, l'ennui, l'ascétisme, le déclin, la manie de juger les autres, le manque d'intégrité.

TERRE: *LE DÉTACHEMENT (2) MÈNE VERS LE TRAVAIL (6) POUR ARRIVER À LA MATURITÉ, LA SAGESSE (10)*

Notez que: *tous les bâtons sont associés à cette trilogie de TERRE et à tout son symbolisme.*

LES COUPES

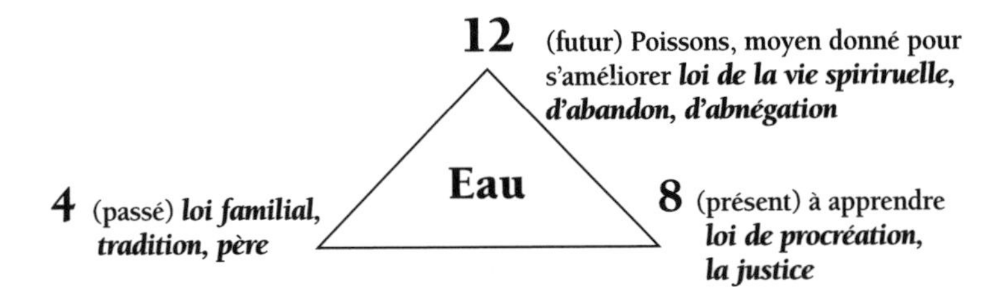

Les coupes ou le triangle 4-8-12- symbolisent les émotions, l'imagination, la famille, et spécialement le père. La loi, la justice et la vie spirituelle.

Passé: 4 Planète ☽ La Lune Signe: le Cancer

Lié au présent et au futur. C'est le passé familial, la tradition, le reflet de ce que l'on a vécu, cela dans nos vies antérieures. C'est aussi le départ du foyer, les parents, les déménagements. Les aspects favorables sont: l'abri, le domicile, l'enfance, le maternalisme, les émotions, l'imagination, la sensibilité sociale et familiale. La fécondité, la mémoire, le magnétisme sensuel, l'anima par la Lune. L'épouse, la conjointe, la femme dans le thème de l'homme. Ça représente aussi les rapports avec le public, les humeurs. Peut concerner le commérage, la rêverie, la frivolité, la susceptibilité, la timidité, le lunatisme, l'indolence. Ça représente également les ennuis familiaux, la séparation de parents ou la disparition du père, si négatif: aussi problèmes avec le père, ou des déménagements précipités.

Présent: 8 Planète ♇ Pluton Signe: le Scorpion

Lié au présent et au futur. C'est la vie avec l'être aimé, les émotions basées sur la sexualité (il est toujours difficile de vivre la vie sexuelle lorsque la vie familiale est en désordre). Les aspects favorables sont: la passion pour l'être aimé et les êtres appréciés; la procréation, la vie, la mort suivi d'une renaissance, la justice. La foi ou l'athéisme, les convictions, la psychologie, la parapsychologie. C'est aussi les contrats, les cadeaux, les héritages, les impôts, mais aussi les dettes ou les emprunts, le comportement sexuel de l'être (ex.: l'hétérosexualité, l'homosexualité, la bisexualité, la transexualité). La possession ou le détachement, en fait, l'avortement, les opérations aux organes sexuels. Si négatif, les blocages sexuels, le viol, la prostitution, aussi une libido puissante, les passions sexuelles. C'est le dualisme entre sens et esprit. C'est aussi la culpabilisation, le fanatisme, l'agressivité, la vengeance, la revendication, l'envie, la domination, le pouvoir, le morbide et le destructeur, les poisons, les MTS.

Comme exemple: le 8 des coupes constitue une indication du comportement sexuel, mais aussi des actions concernant la loi, la justice (en relation avec des contrats), les héritages, les taxes et les impôts. Concerne aussi la santé, et certains revenus de base tels les pensions, l'aide sociale ou l'assurance-chômage. L'aspect négatif: risques de viols ou problèmes sexuels.

Futur: 12 Planète ♆ Neptune Signe: les Poissons

Lié au passé et au présent, par rapport au futur. Les aspects favorables sont: la vie spirituelle et religieuse, l'amour, le dévouement, l'idéalisme, l'émotivité, la sensibilité. Ce sont les poètes, les peintres, les musiciens, le photographe. Les aspects défavorables sont: les maladies psychiques, peur, stress, dépression, suicide. C'est la passivité, l'indécision, la paresse, la timidité, la toxicomanie. C'est généralement le fait de personnes qui ne vivent pas le moment présent, elles doivent apprendre à vivre pleinement et aimer ce qu'elles font.

Le 12 concerne la vie religieuse ou spirituelle, la foi, la charité, le service vis-à-vis les autres et, en ce sens, il parle d'idéalisme. L'aspect négatif: sentiments de culpabilité, la dépression, le stress et, quelquefois même, des pensées suicidaires.

EAU: *ÊTRE CONSCIENT (4) AVOIR DE L'IMAGINATION, DES ÉMOTIONS POUR LA PROCRÉATION (8) PAR LE DON DE SOI (12)*

Notez que: *toutes les coupes sont associées à cette trilogie d'EAU et à tout son symbolisme.*

LES ÉPÉES

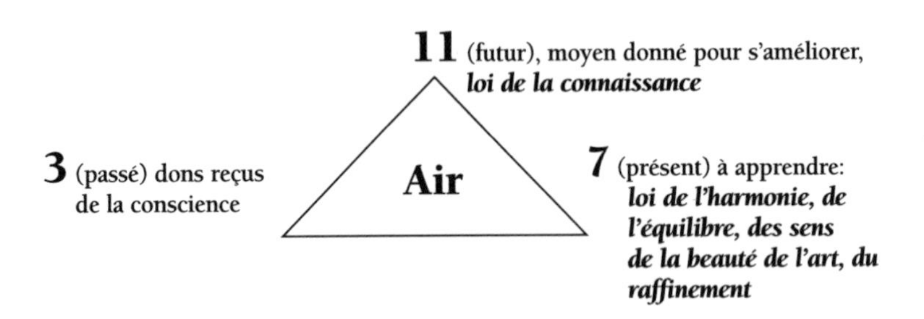

Les épées ou le triangle 3-7-11- concernent les communications et les études, d'un plan général.

Passé: 3 Planète ☿ Mercure Signe: les Gémeaux

Lié au présent et au futur. Les aspects favorables sont: l'intelligence, le niveau de conscience (associé à la compréhension de l'autre), la communication avec l'autre, l'intellect, le côté cérébral. Ça représente aussi l'éducation, les études, les langues, tout ce qui touche de près ou de loin les «communications» dans leur aspect le plus général. Ça peut aussi être la franchise ou le mensonge, les écrits, les paroles, la jeunesse (les relations avec les frères et les soeurs), le voisinage, les petits déplacements. Les aspects défavorables sont: l'ambivalence, la ruse, le mensonge, la parole non respectée, le pessimisme, la dépression, l'inconsistance. Les changements d'humeur, d'idées et de comportements. Le 3 représentera souvent les frères et soeurs ou le voisinage. L'aspect négatif: le mensonge, l'instabilité, l'indécision, l'ambivalence, le déséquilibre, le manque de maturité, de finesse.

Présent: 7 Planète ♀ Vénus Signe: la Balance

Lié au futur et au passé. Les aspects favorables sont: la conscience et l'appréciation du beau; l'harmonisation, le besoin d'équilibre, de sérénité. C'est le charme, la délicatesse, la tranquillité. C'est le désir d'éviter les tracas et les ennuis. Ça représente aussi le raffinement, spécialement sur le plan des arts, de la mode et des relations mondaines. C'est l'association dans son sens le plus large: couple, union, liaison. Ça représente la planète du charme et de la séduction; ça inspire l'amour mais ce n'est pas l'amour (ça représente plutôt la maîtresse chez l'homme). Pour la femme, c'est la soeur, l'amie, la bru, parfois la rivale. Les aspects défavorables sont: le refus des responsabilités (pouvant conduire à la paresse), le superficiel, la légèreté, la rivalité, les passions, la possession, la séduction, la laideur. Le 7 concerne les rencontres affectives l'harmonie, les arts, la beauté. L'aspect négatif: le refus d'assumer ses responsabilités surtout au niveau du couple.

Futur: 11 Planète ♅ Uranus Signe: le Verseau

Lié au passé et au présent. Les aspects favorables sont: la connaissance des lois cosmiques et, parrallèlement, de la technologie, c'est l'intuition, l'avant-gardisme, l'originalité (pouvant confiner à la marginalité). C'est la recherche de l'âme soeur, la grande amitié spirituelle, la fraternité, la sociabilité, l'altruisme, l'autonomie. L'illumination: tout ce qui est lumineux et subtil. Ça représente aussi les technologies modernes, les télécommunications, les transports modernes (spécialement motorisés). Les aspects défavorables sont: l'illégitimité, la fraude, l'illégalité, le scandale, la criminalité, la faillite, le changement brusque, l'imprévu. Le 11 représente les grandes amitiés, voire l'âme soeur, notez qu'il peut aussi sur un autre plan, évoquer la recherche et la technologie. L'aspect négatif: une période «inconventionnelle», voire marginale, peut-être même sur le plan légal.

AIR: *L'ESPRIT DE COMPRÉHENSION (3) POUR HARMONISER SA VIE (7), POUR ACCÉDER À LA CONNAISSANCE DES LOIS COSMIQUES (11).*

Notez que: *toutes les épées sont associées à cette trilogie d'AIR et à tout son symbolisme.*

LES COULEURS ET LES TRIANGLES

Résumons immédiatement la signification des couleurs et des triangles qui sont invoqués dans ce livre. Ils tiennent une place importante. Voici donc ce qu'ils représentent.

Les **pentacles ou le triangle 1-5-9-** (le 1 étant l'As) symbolisent nos actions.

Le 5 nous parle d'amour, d'enfants, du monde, des affaires, des loisirs, des vacances et le **9** de voyages à l'étranger, d'études ou «d'encadrement». Mais il y a aussi l'**aspect négatif:** le 9 c'est l'orgueil et l'égoïsme le 1 et le 5, l'égocentrisme et le snobisme, enfin le 1-5-9- l'infantilisme.

Les **bâtons ou le triangle 2-6-10-** symbolisent l'autorité, la carrière, le travail, la réputation, l'argent, les achats ou dépenses, mais aussi les ventes, spécialement en immobilier. Il donne aussi des indications sur notre alimentation. L'**aspect négatif:** de ces éléments est: la possessivité, la gourmandise, l'avarice, l'insécurité, l'autoritarisme, la critique, le manque d'intégrité.

Les **coupes ou le triangle 4-8-12-** symbolisent les émotions, l'imagination, la famille et spécialement le père. Le 8 de coupes constitue une indication du comportement sexuel mais aussi des actions concernant la loi, la justice (en relation avec les contrats) les héritages, comme les taxes et les impôts. Concerne aussi la santé, et certains revenus de base tels les pensions, l'aide sociale ou l'assurance-chômage. Si défavorable: la rebellion familiale (4), la perversité (8), la toxicomanie (12). Le 12 concerne la vie religieuse ou spirituelle, la foi, la charité, le service vis-à-vis les autres et en ce sens il parle d'idéalisme. Les aspects négatifs sont: pour le 4, des problèmes avec le père, ou des déménagements précipités, pour le 8, des risques de viols ou des problèmes sexuels, alors que le 12 représente des sentiments de culpabilité, dépression, le stress et quelquefois même, des pensées suicidaires.

Les **épées ou le triangle 3-7-11-** concernent les communications et les études, d'un plan général. Le 3 représentera souvent les frères et soeurs ou le voisinage, le 7, le conjoint ou la conjointe, les rencontres affectives, l'harmonie, les arts, la beauté, tandis que le 11 représentera les grandes amitiés, voire l'âme soeur, notez qu'il peut aussi, sur un autre plan évoquer la recherche et la technologie. Les aspects négatifs: pour le 3, le mensonge, l'instabilité, l'indécision, l'ambivalence, le déséquilibre, le manque de maturité, de finesse, le 7, le refus d'assumer ses responsabilités, surtout au niveau du couple, alors que le 11 représente une période «inconventionnelle», voire marginale, peut-être même sur le plan légal.

INTERPRETATION DE CHAQUE LAME

Voici maintenant le symbolisme attribué à chaque lame.

Ce symbolisme n'est pas exhaustif, bien entendu, mais je tiens tout de même à préciser qu'il tient compte de plus de 30 ans de pratique. Pour qu'il soit le plus compréhensible possible, et compréhensible par tous, j'ai désigné ce qui appartient à chaque lame tout en tenant compte du nombre de la lame, de sa couleur, de son association avec les éléments (feu, terre, air et eau) et de la trilogie de chaque élément.

Lisez attentivement (et souvent) ce symbolisme, appliquez-le à chaque lame que vous tirerez, et vous serez surpris du résultat. N'oubliez pas d'inclure dans quelle maison de l'année la personne qui vient vous consulter se situe et procédez de la façon indiquée dans ce livre.

N'oubliez jamais que la clé du succès est dans la pratique et l'étude quotidienne du tarot.

La méthode enseignée dans ce livre, peut être utilisée avec n'importe quel jeu de tarots. Il y en a au delà de 300 sortes. À vous de choisir celui qui vous plaît le plus, afin d'utiliser cette méthode.

LES ÉPÉES

1- LE MONDE DE LA VERTU

Représente les situations à trancher, les décisions à prendre, parle d'intellect (ce qui touche la pensée, les idées), la communication, les relations, les études, les déplacements, les frères, les soeurs, la beauté, l'harmonie, les associations, les ruptures, le monde des arts, la recherche de l'âme soeur, la connaissance, la fraternisation, l'inconventionnel, l'original, tout ce qui est soudain, l'imprévu, le changeant. (Dans le sens de ce que l'on doit améliorer en nous. Les vertus que l'on doit cultiver maintenant).

L'AS DE L'ÉPÉE (Vertu)

Son instructeur: **LA MORT**

Ses orienteurs: **LE MAGICIEN**
LE PENDU
LA ROUE DE FORTUNE
LES AMOUREUX

Ses messagers: **LES PAGES**

Ses symboles: **LES ÉPÉES (air)**

Signes d'air: **Gémeaux (3) Balance (7) Verseau (11)**

On doit couper, trancher avec amour. Prendre ses responsabilités dans les situations.

LES COUPES
2- LE MONDE DE LA SANCTIFICATION

Représente les émotions, la sensibilité, l'imagination. Le monde familial, les contacts avec le public, la foule. La justice, les sciences occultes, le comportement sexuel, les héritages les successions, la foi, la religion, les hôpitaux, la médecine, les expériences de l'âme et de la matière l'abandon le dévouement.

L'AS DE COUPE (Sanctification)

Son instructeur: **LA FORCE (patience)**

Ses orienteurs: **L'EMPEREUR**
L'IMPÉRATRICE
LA TEMPÉRANCE
L'ÉTOILE

Ses messagers: **LES CHEVALIERS**

Ses symboles: **LES COUPES (eau)**

Signes d'eau: **Cancer (4) Scorpion (8) Poisson (12)**

On doit se discipliner, faire face à l'évidence, s'équilibrer.

LES BÂTONS
3 - LE MONDE DE L'UNIFICATION

Représente les acquisitions autant spirituelles que matérielles, le geste, le partage, les questions monétaires, la notion de couple, le travail obligatoire, la carrière, la profession, le standing social, l'analyse, la synthèse, le besoin de sécurisation, l'autorité, les dettes, le gouvernement, les assurances, les immeubles, l'argent gagné à la sueur de son front, les pertes ou les rentrées d'argent, la discipline, la sagesse, la rigueur.

....

....

....

L'AS DE BÂTON (Unité)

Son instructeur: **LE SOLEIL**

Ses orienteurs: **L'ERMITE**
LA PAPESSE
LA TOUR DE DIEU
LA JUSTICE

Ses messagers: **LES REINES**

Ses symboles: **LES BÂTONS**

Signes de terre: **Taureau (2) Vierge (6) Capricorne (10)**

DIABLE ==== CONTROLE

LES PENTACLES

4- LE MONDE DU ZÈLE OU DE LA SPIRITUALITÉ

Représente l'action de l'essence dans la substance, la volonté, le courage, le pionnier, l'organisateur, le chef, la fierté, l'amour, l'enfant, les loisirs, les distractions, les vacances, les voyages, les rencontres, les philosophes, les étrangers, l'ésotérisme, le monde spirituel, les sports. On doit être des pionniers au niveau de ses croyances personnelles et spirituelles, répandre l'amour autour de nous.

....

....

L'AS DE PENTACLE (aide)

Son instructeur: **CHARIOT (sagesse)**

Ses orienteurs: **LE MONDE**
LE PAPE
LE JUGEMENT
LE FOU

Ses messagers: **LES ROIS**

Ses symboles: **LES PENTACLES (feu)**

Signes de feu: **Bélier (1) Lion (5) Sagittaire (9)**

LUNE ==== ASPIRATIONS

MÉTHODE NUMÉRIQUE

Pour mieux comprendre et utiliser la méthode numérique décrite dans ce livre:

Exemple: le 1 = le diable qui symbolise nos actions négatives, etc.

1

SOLVE

COAGULA

LE DIABLE RÉGIT LES 4 MONDES

1° monde de la VERTU (les épées)
2° monde de la SANCTIFICATION (les coupes)
3° monde de l'UNIFICATION (les bâtons)
4° monde de la SPIRITUALITÉ (les pentacles)

«JE NE SUIS PAS COUPABLE, LA FAUTE DES AUTRES» .

Tu prends des moyens détournés pour arriver à tes fins. Tu es une victime consentante.

Tentation? Raccourci? Honte? Problème? Fatalité?

Qu'est-ce qui se passe? Orgueil, égocentrisme, frustration, lamentation, médisance, revange, calomnie.

Mots clés: le contrôle sur mes sens et mon esprit.

Le diable est la loi de la matière rendue vivante par l'esprit de l'homme. Par la pensée consciente, nous pouvons atteler nos défauts et les mettre au service de nos qualités. Un attachement possessif et sensuel peut se transformer en une tendresse apaisante. Il s'agit de lier le coeur et l'intelligence dans la même direction. Symbolise nos défauts. Essayer de les reconnaître c'est pouvoir les dépasser, se faire miséricorde et indulgence. Régit l'instinct, les passions surtout d'ordre sexuel.

SANTÉ: les maladies sexuelles (SIDA) vices, etc. Période de passion au niveau sexuel, distraction, mémoire défectueuse, Régit le matériel. Destruction pour reconstruction de sa vie affective et professionnelle. Quelquefois chance côté jeux du hasard.

Être conscient, c'est d'être capable de me diriger à la lumière de mon intelligence et à la chaleur de mon coeur pour arriver au mouvement de la vie intérieure qui est intensité. On ne peut désirer la lumière que lorsqu'on devient conscient que l'on est dans les ténèbres.

2

ESPRIT

MATIÈRE

LA LUNE
RÉGIT LES 4 MONDES

(Voir lame 1)

ANIMA CHEZ L'HOMME ET LA FEMME

Mots clés: Aspiration, vertu ou émotions fortes, mémoire, imagination, fécondité.

La lune représente l'imagination qui peut nous inspirer des doutes, des craintes, des inquiétudes. Elle représente aussi nos humeurs, la foule et le public. Peur de tout et représente l'insécurité. Commérage, calomnie, mensonge, médisance, les émotions (contrôle).

Doit-on vivre dans un monde de beauté? Un monde christique. Doit-on vivre dans un monde de laideur?

Le monde de la «patente». Avoir foi en soi et toujours tenir compte de ses aspirations. Éviter les discussions inutiles. Régit les achats, ventes, dépenses familiales. L'épouse chez l'homme.

MIROIR DU SOLEIL: Miroir de l'âme de la personne, l'inconscient.

Kundalini endormi ou «La belle au bois dormant». Évite le pessimisme, la bouderie, l'angoisse.

Contexte familial. Le passé. Le foyer paternel (père). Notre foyer. **L'épouse de l'homme.** Tradition familiale. Difficulté à couper le cordon ombélical avec le passé et la famille. Imagination cyclique sexuelle. Symbolise la foule, le public. La femme en générale, annonce d'une grossesse. Quelquefois déménagement ou changement au foyer. Achat ou perte de la maison.

SANTÉ: l'estomac, le système digestif, la cellulite.

Si nous savons consciemment nous lier à la pureté de Iésod, c'est-à-dire à cette face de la lune tournée vers le Soleil, notre imagination sera lumineuse et deviendra créatrice de belles et bonnes choses. Devant la Lumière; les craintes, les doutes et les peurs disparaissent.

3

AIDE
PROVIDENTIELLE
AS ÉPÉE

MONDE
DE LA
VERTU

MAGICIEN L'ÊTRE
1° ORIENTEUR
(lié aux PaP, 2É et 7 É- instructeur LA MORT)

Mots clés: inspiration. Cette carte ouvre le monde de la vertu. Tout est possible, tu as tous les atouts en mains pour faire face à une situation. L'idéal peut être réalisé. Devant le Magicien, nous apercevons trois objets symboliques du Tarot la coupe, le pentacle, et l'épée. Il tient dans sa main un sceptre qui est une baguette magique avec laquelle il puise dans le Plan Divin pour réaliser sur le plan terrestre. Un 4e objet le bâton indique le plan matériel. Représente le libre arbitre du moment que l'on en est conscient.

Tu t'en sors. Tu as les moyens. Choix à faire. Utilise ton courage, ta volonté, ton enthousiasme sans agressivité et tu t'en sortiras.

Le mage ou le magicien:	*L'effort que l'on fera.* *Travailler avec sincérité et pureté.*
Le bandeau blanc:	*Maîtriser les pensées.*
La coupe.:	*Boire à la source* *qu'est l'Amour Divin.*
L'épée:	*Combattre les nuages qui passent* *sur notre ciel.*
Le bâton:	*Aller chercher dans le Divin* *tout ce qui est nécessaire.*
La cape rouge:	*Passer à l'action.*
La tunique blanche:	*Maîtriser la nature grâce* *à la pureté.*

SANTÉ: tête, figure, dentition, muscle, fracture du crâne. À éviter la colère, la jalousie, la violence, l'impulsivité, les coups de tête. Redevenir l'amour dans le respect de soi et des autres. Toute action quelle qu'elle soit doit être faite dans l'amour sinon elle est faite en vain.

Tout est possible. Va de l'avant, le Ciel est avec toi. Mais n'oublie pas que ce que tu sèmes tu récolteras.

4

TEMPS

AIDE
PROVIDENTIELLE
AS ÉPÉE
YING YANG

MOUVEMENT

MONDE
DE LA
VERTU

LA ROUE DE FORTUNE

2° ORIENTEUR

(lié aux 4É, 9É et PaC- Instructeur LA MORT)

Mots clés: recommencement, détachement (famille, père, parenté).

Roue de la réincarnation, du karma, des désirs. La vie qui tourne. Nous devons respecter les grandes lois de l'Univers qui reposent sur l'AMOUR, la SAGESSE et qui nous amènent vers la VÉRITÉ.

Karma: *Cause, effet. «On récolte ce que l'on sème».*

Duka: *Désir au ras du sol = souffrance Désir spiritualisé.*

Sensar: *La loi de la réincarnation.*

Dharma: *Devoir. Code d'honneur. Service. Discipline. Dévouement.*

La loi du détachement: c'est le temps de changer, de faire face à la situation tout en respectant les lois cosmiques. Passe à l'action, arrête de t'en faire. Le progrès est possible grâce aux efforts bénéfiques des expériences vécues avec sagesse. Un changement doit s'opérer. Accepte-le et tu en ressortiras renouvelé. Changement imprévu, transformation. Initiatives nouvelles, spontanéité. Si bien entourée, apporte de la chance, les réussites dues à des occasions saisies à propos. Succès ou spéculations hasardeuses, revers de fortune, risque d'accident. Nouvelle carrière ou changement de vie.

SANTÉ: maladies soudaines et imprévues.

Sème l'AMOUR et tu récolteras l'AMOUR Sème la PAIX et tu auras la PAIX. Sème la JOIE et la JOIE fera en toi sa demeure. Allume ta lampe intérieure et la LUMIÈRE se verra dans tes yeux. Sème la DOUCEUR et tu apaiseras les tourmentés. Distribue ta tendresse et tu nourriras ceux qui ont un vide au coeur.

5

AIDE
PROVIDENTIELLE
AS ÉPÉE

MONDE
DE LA
VERTU

LA MORT
1° INSTRUCTEUR DU MONDE DE LA VERTU
(lié à l'AS des É)

La carte «**LA MORT**» est attribuée au signe du scorpion. C'est le premier instructeur qui nous dit que le vieil homme doit mourir pour que l'homme spirituel naisse. La personnalité (le peit moi, l'âme inconsciente) doit s'effacer pour laisser l'individualité (le grand Moi, l'âme consciente) guider et diriger toutes les pensées, les sentiments et les actions qui en résultent. L'ESPRIT domine la matière, il la spiritualise et la met à son service.

La fin d'une chose pour le début d'une autre. Regénération, conscience, vie. Libération du monde de laforme, de ses tourments. Renaissance. Rythme, naissance, vie, mort, renaissance. Recommencements positifs. Une seconde chance t'est offerte.

Mourir à une situation pour revivre dans une autre. Prendre conscience de la divinité en nous. Demander de l'aide et penser à l'histoire de la chenille. Si elle ne renonce pas à manger les feuilles, elle ne deviendra jamais un papillon libre de butiner toutes les fleurs pour en respirer le parfum et se régaler de toutes les couleurs. Il est libre, il boit la Lumière et mange l'Amour déposé au coeur des fleurs.

Régit la méditation, l'occultisme. Concerne les héritages, les successions à régler.

SANTÉ: Peut concerner une maladie incurable (cancer, sida, leucémie) ou la mort d'un être cher.

Souvent le Ciel brûle notre vieille maison parce qu'il veut nous donner un château, il semble nous priver de la présence d'un être cher pour nous redonner un amour exceptionnel. Pourquoi crions-nous? Pourquoi pleurons-nous? Laissons au ciel le soin de nous guider, car d'en haut, il a une vue d'ensemble.

6

PAIX

AIDE
PROVIDENTIELLE
AS ÉPÉE

SÉRÉNITÉ

MONDE
DE LA
VERTU

5 DES ÉPÉES

(lié aux 10É et PaÉ--orienteur LES AMOUREUX, instructeur LA MORT)

Mots clés: discipline, sévérité, rigueur. Souvent on impose notre volonté, nous détruisons les beaux sentiments, nous faisons s'enfuir les bonnes pensées des autres à notre égard et nous nous retrouvons seuls accusant la Vie d'être méchante.

Arrête de t'obstiner avec les événements. Retrouve ta paix et tu retrouveras le sens de la vie. Tourne ton esprit vers ce qui est productif et pratique. Ton attitude actuelle en est une de roi et maître et tu rationalises tout.

Concerne ceux que l'on aime et spécialement les enfants. Prends une attitude plus sereine, canalise tes énergies et tu verras que la Vie est une aventure merveilleuse. Personne orgueilleuse et égoïste qui doit se tourner vers l'amour et non la dictature. Éviter les discussions inutiles.

Le 5 symbolise la loi de l'amour dans la joie, la non-possessivité, la chaleur et non l'égoïsme, l'orgueil etc. Représente l'être aimé, les enfants issus de l'Amour conventionnel (mariage). Régit les jouissances, les loisirs, distractions, vacances, les jeux de hasard, les spéculations, les affaires, les chefs d'entreprises, organisation et planification de la vie matérielle et spirituelle. Le 5 peut annoncer une naissance future.

Le 5 des épées représente une situation qu'il faut clarifier sur le plan des sentiments, ça peut toucher l'être aimé ou un enfant, le dialogue et la communication pourraient aider. Dans certaines situations plus générales, cela peut simplement indiquer de prendre garde aux manifestations d'orgueil. Le 5 régit l'amour ou orgueil (3-7-11) et (1-5-9-).

SANTÉ: circulation sanguine, le coeur, le dos. Pour les enfants, risques d'accident, avoir une bonne surveillance.

« Savoir accepter les choses que je ne peux changer et avoir le courage et la détermination de me changer moi-même ».

7

AIDE
PROVIDENTIELLE
AS ÉPÉE

MONDE
DE LA
VERTU

4 DES ÉPÉES

(lié aux 9É et PaC–orienteur LA ROUE DE FORTUNE, instructeur LA MORT)

Concerne le foyer, la famille, le père, le passé.

Mots clés: miséricorde, indulgence.

Personne timide, sensible et qui se culpabilise. Elle a été blessée et s'est repliée sur elle-même (les émotions: voir la Lune)

Sors de la solitude, rebranche-toi avec le Divin et fais-toi miséricorde. Va vers la Lumière pour réussir et vaincre. Évite la timidité, car elle engendre l'orgueil. Période de fatigue. Bien dormir et ne faire que le possible.

Relié au père. Les décisions à prendre au sujet de la famille, du foyer ou lui-même.

Tous les nombres 4 sont reliés symboliquement à la famille, au père en particulier, aux émotions familiales au public, au foyer, sa maison, la parenté, aux commérages et à la médisance.

Le 4 des épées représente une situation litigeuse à régler sur le plan familial (cela peut concerner le père) 3-7-11, il signifie que le dialogue et la communication vont prendre une place importante. Il ne faut pas hésiter à résoudre le problème, si l'on veut conserver l'être aimé. Représente une période sensible sur le plan émotif. Le 4 est toujours associé au foyer, au déménagement, au père et aux émotions.

SANTÉ: la digestion, l'estomac (crampe).

«L'expérience est la somme de nos erreurs». A force de pleurer sur notre passé, d'avoir peur de notre avenir, nous oublions de vivre intensément notre présent qui est la semence de notre futur.

8

AIDE
PROVIDENTIELLE
AS ÉPÉE

MONDE
DE LA
VERTU

3 DES ÉPÉES

(lié aux 8É et PaB--orienteur LE PENDU, instructeur LA MORT)

Mots clés: Communication, compréhension.

Situation difficile sur le plan émotionnel, sentimental. La fuite ne servirait à rien. Essayer d'avoir une compréhension intelligente de la situation. Voir le beau côté et mettre tous ses efforts à guérir par le dialogue et la compréhension. Si tout le possible et l'impossible ont été faits, ne pas subir passivement cette situation. Faire un choix.

Symbolise les frères et soeurs. Les cours, les études. La parole, les écrits. L'entourage. Les erreurs de jugement. Possibilité de mensonge ou de franchise autour de nous.

Tous les 3 au niveau du symbolisme sont reliés à la communication, les dialogues, les écrits, les démarches, les frères, les soeurs, le voisinage, à l'intellect, la cérébralité, à l'intelligence et aux niveaux de la conscience. Le 3 symbolise la loi de l'intelligence. On ne doit pas rester ignorant.

Le 3 des épées représente une nouvelle qui nous déconcerte et qui peut provenir aussi bien de l'ête aimé que de l'entourage ou des frères et soeurs. Ça représente également une situation qu'il nous faut trancher immédiatement, il peut également concerner le commerce, les spéculations et parfois les arts. (3-7-11-).

SANTÉ: nervosité, pertes de mémoire, les yeux, les oreilles, les poumons, les bronches.

> **« J'ai fait tout le possible hier, aujourd'hui j'ai tenté l'impossible, les miracles seront pour demain ».**

9

LE SILENCE EST D'OR

AIDE PROVIDENTIELLE AS ÉPÉE

MONDE DE LA VERTU

2 DES ÉPÉES

(lié aux 7É et PaP--orienteur LE MAGICIEN, instructeur LA MORT)

Mots clés: sagesse. Relié à l'argent. Achat, vente, dépense. On veut intervenir mais il ne faut pas car la situation n'est pas mûre. La prudence devient une protection. La sagesse entraîne la paix. Si deux situations se présentent, prendre le temps de bien penser afin d'éviter des choses désagréables. Écouter la sagesse du proverbe qui dit: «Tournez votre langue sept fois avant de parler ».

INNOCENCE . . . . NAIVETÉ

Il est relié aux comptes à payer ou à l'argent qu'on possède: commerce, entreprise, papiers à signer, la signification touche toujours l'aspect monétaire. Ça représente une période d'actions «inconventionnelles» dans la vie du couple, soit sur le plan de ses avoirs ou de ses placements, soit sur le plan de sa vie sentimentale.

Le nombre 2 au niveau du symbolisme quel que soit son élément ou sa couleur est toujours associé aux biens personnels, à l'argent gagné à la sueur de notre front. La naissance d'un enfant peut aussi survenir entrant dans les biens spirituels ou acquisitions. Le 2 des épées est aussi relié aux achats et aux dépenses, concenant le bien-être personnel comme maison, nourriture, effets personnels, etc. et aussi comment l'on partage au niveau du couple. Se rappeler que tous les nombres 2 sont reliés à la nourriture matérielle et spirituelle de l'être et régit la loi du détachement dans le partage, l'échange et la non possessivité.

SANTÉ: l'embonpoint, gourmandise, glande thyroïde.

«Tous doivent entendre le langage de la Nature et savoir lire ce qu'elle écrit ». Certains disent que la terre est un enfer. Oui, mais elle peut être un lieu de joie, si la vie est en harmonie avec les lois de la nature. Chaque être qui n'est pas en harmonie avec les lois de la nature dégénère. Celui qui pense pouvoir changer les lois de la Nature se trouvera dans l'état d'une feuille qui se détache de la branche, vieillit, meurt et à sa place poussera une autre feuille plus digne. Ce n'est que lorsque nous étudions la Sagesse divine que nous sommes en état de comprendre la Vérité pour devenir les maîtres de la situation, alors seulement nous pouvons transformer notre vie».

Peter Deunov

10

AIDE
PROVIDENTIELLE
AS ÉPÉE

MONDE
DE LA
VERTU

AS DES ÉPÉES

(1° aide providentielle du monde de LA VERTU (les épées) lié à l'instructeur LA MORT)

Mots clés: autorité, intégrité. Une main que l'on nous tend, aide providentielle. C'est une grande force libératrice. Victoire. Sagesse.

Grâce à l'As de l'épée, on peut vivre: les amoureux. Le Divin nous donne, grâce à notre travail. Nous sommes capables de trancher le négatif dans notre vécu quotidien. Libération de quelque chose.

Promotion tant attendue au travail. Triomphe, conquête. (Un degré excessif en toute chose, autant d'amour que de haine). Réputation. On peut enfin vivre la joie, le bonheur. Symbolise la mère. Gain inattendu.

Réconciliation. Ne pas rêver ou ne pas voir la réalité. La mère, les situations à trancher. Milieu familial.

Les 4 AS symbolisent une aide providentielle qui est à notre disposition si on demande de l'aide, des conseils, soit de parents, d'amis, de personnes influentes. Dans certaines situations, une seconde chance nous est donnée. Peut aussi signifier une période où l'on rêve sa vie plutôt que de la vivre. L'idéalisme peut frôler l'utopie.

L'As des épées régit les choix à faire sur le plan sentimental, il indique la recherche de l'âme soeur. Il représente aussi des amitiés solides. Sur le plan carrière, il représente des gens autonomes qui travaillent spécialement dans les domaines du commerce ou des arts. Il nous avertit également d'éviter tout ce qui est illégitime, illégal ou trop marginal. Il indique enfin, qu'une aide nous sera apportée selon notre évolution et nos niveaux de conscience, ainsi que selon notre capacité de faire un choix. Ne pas oublier que la souffrance est une part de notre ignorance.

SANTÉ: régénération.

Savoir en pleine tempête attendre le lever du soleil apporte à l'âme une joie indescriptible. Dépasser nos épreuves, nos tourments en gardant l'ESPÉRANCE dans le sanctuaire de notre coeur, nous redonne toujours une rayonnante victoire.

11

AIDE
PROVIDENTIELLE
AS ÉPÉE

MONDE
DE LA
VERTU

10 DES ÉPÉES

(lié aux 5É et PaÉ-- orienteur LES AMOUREUX, instructeur LA MORT)

Contexte social (fin d'une chose pour une autre). L'entrée dans le royaume de la vertu est difficile.

C'est une carte d'espoir. Le passé était ténèbre, l'aube vient. Ta faiblesse est la force de ceux qui t'entourent. Relève-toi et prends du soleil son rayonnement pour repartir sur des bases nouvelles.

Le travail est concerné ou une nouvelle orientation s'ouvre devant nous. Allons-nous faire le choix? Relié à la mère, les décisions à prendre, aux communications à faire avec sa famille.

Le nombre 10 symbolise le milieu social où l'on vit, la parenté (la mère en particulier), l'autorité, le gouvernement, le patron, la carrière ou la profession, la réputation, la sagesse, la maturité, le pays ou la ville où l'on vit. Concerne les immeubles, les assurances, les comptables, les personnes âgées, grands-parents.

Le 10 des épées peut représenter la perte de son emploi ou encore une remise en question sur le plan du travail. Il indique une période de difficulté sur le plan de la santé, sur le plan des amours ou sur le plan du travail, mais les nuages se disperseront rapidement et de bonnes nouvellles vont vous être annoncées, il ne faut pas désespérer. Quelquefois, la santé d'un parent nous inquiète.

SANTÉ: colonne vertébrale, dos, système immunitaire. les articulations.

> **«Quand une porte se ferme, il y a inévitablement une autre porte qui s'ouvre». L'attitude que les autres adopteront à ton égard proviendra de ta propre attitude intérieure.**

12

AIDE
PROVIDENTIELLE
AS ÉPÉE

MONDE
DE LA
VERTU

9 DES ÉPÉES

Première fondation

(lié aux 4É et PaC– orienteur ROUE DE FORTUNE, instructeur LA MORT)

Mots clés: sensibilité, émotivité.

Personne sensible, émotive, très riche potentiel de spiritualité mais qui ne s'implique pas. Trop prise dans un cadre religieux (ou matériel) rempli de formules et de symboles extérieurs. Pleure sur ses problèmes. Voyagescancellés. Blocage, gel, ou attente d'argent. Rêves envolés. Ti-Jos connaissant qui vient d'être humilié.

LEVE-TOI ET MARCHE.

Arrête de t'inquiéter, arrête de pleurer, il y a un projet pour toi. La douleur ultime est de pleurer sur soi-même et cela occasionne du remords et des idées de vengeance.

Le nombre 9 symbolise le protecteur, le parrain, le distributeur de richesses spirituelles et matérielles. C'est l'argent que l'on va recevoir, venant de toutes sortes de sources, loteries, travail, gains, héritage. Il régit les sports, les voyages, les étrangers incluant les belles-soeurs et les beaux-frères. Ésotérique. Régit la générosité, la courtoisie, quelquefois l'autoritarisme ou «Ti-Jos» connaissant.

Le 9 des épées représente une situation à trancher sur le plan monétaire, des comptes à payer pour des achats déjà effectués ou soit pour acheter des vêtements, bijoux, ordinateur, automobile ou un voyage assez dispendieux. Il indique aussi, souvent, la recherche de l'âme soeur et parfois, une rencontre amoureuse, les cours, les études, l'enseignement. Accès à la connaissance, à l'ésotérisme. (3-7-11)

SANTÉ: foie, vésicule biliaire, nerf sciatique.

«La vraie religion est la religion du coeur qui donne et qui redonne sans cesse sans se demander si l'autre est digne ou indigne. Cette religion du coeur s'exprime dans la joie et rejaillit sur nous multipliée ».

13

AIDE
PROVIDENTIELLE
AS ÉPÉE

MONDE
DE LA
VERTU

8 DES ÉPÉES

(lié aux 3É et PaB-- orienteur LE PENDU, instructeur LA MORT)

Le 8 gloire et honneur. **Étape de purifiction.** Finance, blocage sexuel (préjugés), injustice, santé, émotivité. La loi: être prudent. Ne pas faire l'autruche. Personne qui subit sa vie, poignée par les situations de tous genres. Il n'y a qu'à défaire les liens qui nous entourent. Tu vis une situation floue, indécise et délicate. Nos yeux sont bandés donc il ne faut pas intervenir mais il faut maintenir nos aspirations. Il y a dans cette carte un aspect de karma qu'il faut subir mais qui est temporaire.

Se fier à l'inspiration du moment. Tout a une fin. Demander de l'aide, être impeccable dans ses pensées et avoir foi que tout finit par s'arranger. Ne pas s'embarquer dans le monde de la «patente» (du diable). C'est un monde mouvant et nous risquons de nous enliser de plus en plus.

Le 8 symbolise les actions positives ou négatives que l'on fait dans la vie, la volonté et le courage, le pionnier, la fierté, l'organisateur, le chef, le psychologue, le sexologue, la loi et la justice ainsi que le comportement sexuel de l'être, le rythme naissance / vie / mort / renaissance. Il marque la fin d'une chose pour le début d'une autre. Les prêts, les emprunts, l'impôt et les taxes, les héritages, les successions, le chômage, la pension de vieillesse, le bien-être social, etc. sont régis par le nombre 8.

Le 8 des épées représente une période où l'on doit mettre un terme à ses vieilles rancunes, se libérer de ses peurs, faire face à la réalité, vivre le présent, se servir de son entourage, de son autonomie et de son indépendance. C'est le temps de régler des litiges, etc. (3-7-11). Le nombre 8 régit par la loi de la procréation et de la vraie justice.

SANTÉ: plaies purulentes, organes sexuels.

Il y a trois façons de régler nos difficultés selon le grand livre de la Nature vivante: S'il s'agit d'une difficulté dans le plan physique, il faut l'affronter. S'il s'agit d'une difficulté sentimentale, il faut la contourner. S'il s'agit d'une difficulté dans le plan mental, il faut faire comme l'oiseau... s'envoler.

14

AIDE PROVIDENTIELLE AS ÉPÉE

MONDE DE LA VERTU

7 DES ÉPÉES

(lié aux 2É et PaP-- orienteur LE MAGICIEN, instructeur LA MORT)

Le 7 symbolise la notion du couple, du partage mais aussi de l'autonomie.

Promesses non tenues. Concerne l'être aimé, ses aspirations.

Personne qui aime collecter les croix de tout le monde. C'est une tâche difficile car après, il faut en payer le prix. Ne pas essayer de sauver les «insauvables», ne pas voler les responsabilités des autres, ne pas arranger les choses des autres à sa façon à soi. Il est déjà tellement difficile d'assumer nos propres choix.

La victoire la plus grandiose c'est celle que l'on remporte

sur soi-même. On ne peut jamais avoir ce qui ne nous appartient pas. Si on le vole, il y aura toujours des problèmes. Cette carte suggère l'honnêteté, intégrité dans tous les domaines: matériel, sentimental. . .

Le nombre 7 symbolise l'harmonie, l'équilibre, la beauté, les arts, les associations de tout genre, rencontres, cohabitation, mariage ou le contraire indépendamment des autres lames qui l'entourent, ou s'intéresse aussi à l'art. Période où l'on doit prendre ses responsabilités. Il symbolise aussi la loi du couple.

Le 7 des épées représente l'intelligence et les différents niveaux de conscience; il représente aussi les relations dans le couple et entre les êtres chers. Il signifie également que les promesses doivent être tenues et qu'il faut éviter de prendre les responsabilités des autres. Il est un avertissement quant à ses agissements, il nous rappelle que la frontière est mince entre l'originalité et la marginalité. (3-7-11).

SANTÉ: régit les seins, les reins, la peau, rhumatisme, arthrite.

15

AIDE
PROVIDENTIELLE
AS ÉPÉE

MONDE
DE LA
VERTU

6 DES ÉPÉES

(lié à l'AS des É et PaP-- instructeur LA MORT)

Le 6: service aux autres dans l'amour.

Tu démontres la vertu, la beauté dans la pureté. Ne t'impose pas comme instrument et ne te laisse pas prendre aux jeux de l'autre. Écoute, apprends à discerner la vérité mais fais-le avec beaucoup de simplicité. Tu peux passer aux travers, peu importe le poids ou la charge, car tes gestes sont empreints d'amour et desimplicité.

Personne qui rayonne sa paix intérieure et qui sait ce qu'elle a à faire. Service dans l'amour et non la servitude et ne pas s'imposer. Disponibilité mais éviter de rendre les autres profiteurs. Concerne le quotidien, le travail obligatoire, le naturiste, le guérisseur, le voyant ou le médium.

Le 6 symbolise la loi du travail. Il régit les ouvriers, les travailleurs, les artisans, la médecine naturelle incluant

les guérisseurs, les voyants, les médiums, les psychomaticiens, la dextérité manuelle, la pureté, la perfection aussi l'insécurité.

Le 6 des épées représente une situation à clarifier au travail. Il peut signifier une mise à pied ou un changement au travail. Il indique une période de stress à traverser, soit sur le plan travail, soit le plan affectif. Nous avertit aussi de prendre garde aux (fausses) illusions. (2-7-11).

SANTÉ: les intestins, le ventre (douleurs).

«Tu trouveras ta mère dans le chemin de l'amour. Tu trouveras ton père dans le chemin de la sagesse. Tu te trouveras toi-même dans le chemin de la vérité ».

Peter Deunov

16

AIDE
PROVIDENTIELLE
AS ÉPÉE

MONDE
DE LA
VERTU

LE PAGE DES ÉPÉES

(lié aux 5 É et 10É-- orienteur LES AMOUREUX, instructeur LA MORT)

Messager vertueux porteur de bonnes ou mauvaises nouvelles. Allons-nous l'écouter?

Annonce d'un nouveau travail. Personne qui sait travailler avec toute son énergie et qui sait se libérer du négatif. Personne qui peut sortir de son embarras. Éviter l'incertitude, la peur, les commérages qui déséquilibrent la vie.

Les pages symbolisent la jeunesse et en même temps l'adulte en devenir, ils sont des messagers de tous genres: facteurs, journalistes, enseignants, armateurs, producteurs, écrivains, conseillers, rapporteurs, livreurs, etc. Ils sont des personnages énigmatiques, de passage dans notre vie comme un employeur, un ou une compagne de travail, un voisin, etc. Vérifier s'ils sont honnêtes dans leurs messages et si ce n'est pas du commérage. Se rappeler que les pages se rapportent à des nouvelles par lettres, téléphones, fax, rencontres impromptues. Peu importe le genre de personnage, évitez avec lui le commérage ou la médisance.

Le page des épées est une personne avec laquelle vous aurez à transiger (au téléphone ou au travail) sur des questions qui peuvent autant concerner votre carrière que vos amours. Si cette carte est bien entourée, cela signifie que vous pouvez lui faire confiance. Cela peut indiquer le début d'un commerce ou d'études orienté se vers une nouvelle carrière.

SANTÉ: prudence, discipline, équilibre, savoir respirer.

«Soyez prêts! le soleil de la vie se lève. Commencez à penser, à travailler et à appliquer l'amour dans la vie».

Peter Deunov

17

AIDE
PROVIDENTIELLE
AS ÉPÉE

MONDE
DE LA VERTU
ASSOCIÉ
AU MONDE
DE LA
SANCTIFICATION

LE PAGE DES COUPES

(lié aux 4É et 9 É --orienteur ROUE DE FORTUNE, instructeur LA MORT)

MONDE DE LA SANCTIFICATION: il tient l'énergie qui lui vient du pouvoir divin.

Personne sûre qui tient la coupe en la tendant au ciel pour prendre ce que la Vie lui offre.

Chose offerte. Opportunité. Idée ou pensée géniale. Un esprit qui prend forme et qui est actif et inspirant.

Nouveauté.

Énergie sexuelle amenée à un autre niveau: la sublimation.

Personnage chaleureux qui peut nous offrir une amitié pure et sincère.

Les émotions.

Les pages symbolisent la jeunesse et en même temps l'adulte en devenir - ils sont des messagers de tous genres: facteurs, journalistes, enseignants, armateurs, producteurs, écrivains, conseillers, rapporteurs, livreurs, etc. Ils sont des personnages énigmatiques, de passage dans notre vie comme un employeur, un ou une compagne de travail, un voisin, etc. Vérifier s' ils sont honnêtes dans leurs messages et si ce n'est pas du commérage. Se rappeler que les pages se rapportent à des nouvelles par lettres, téléphones, fax, rencontres impromtues. Peu importe le genre de personnage, évitez avec lui le commérage ou la médisance.

Le page des coupes est un homme aux cheveux noirs ou bruns, souvent un parent proche ou lointain, parfois un voisin et quelquefois, pour les femmes, un amant. Il peut signifier une rencontre amoureuse et passionnelle; parfois même la rencontre de l'âme soeur. Il peut aussi représenter un huissier ou un homme de loi que vous aurez à consulter. Prudence !

SANTÉ: boire plus d'eau. Attention à la toxicomanie.

18

AIDE
PROVIDENTIELLE
AS ÉPÉE

MONDE
DE LA VERTU
ASSOCIÉ
AU
MONDE DE
L'UNIFICATION

LE PAGE DES BATONS

(lié aux 3É et 8 É --orienteur LE PENDU, instructeur LA MORT)

MONDE DE L'UNIFICATION: personnage unifié avec le divin.

Celui qui dit qu'il y a toujours un espoir et qui prend tout ce qui peut l'aider. Force, noblesse. De la fierté aussi mais pour résister aux inquiétudes.

Comptable, notaire, avocat, le juge. Entrée d'argent. Comptes à payer.

Bâton: un mental qui amène une nouvelle vision des choses plus vertueuses.

Bonne nouvelle. Témoignage favorable. Bonne pensée qui nous est envoyée. Message invisible que nous captons.

Messages: matériel, spirituel, achat, vente, dépense.

Les pages symbolisent la jeunesse et en même temps l'adulte en devenir, ils sont des messagers de tous genres: facteurs, journalistes, enseignants, armateurs, producteurs, écrivains, conseillers, rapporteurs, livreurs, etc. Ils sont des personnages énigmatiques, de passage dans notre vie comme un employeur, un ou une compagne de travail, un voisin, etc. Vérifier s' ils sont honnêtes dans leurs messages et si ce n'est pas du commérage. Se rappeler que les pages se rapportent à des nouvelles par lettres, téléphones, fax, rencontres impromptues. Peu importe le genre de personnage, évitez avec lui le commérage ou la médisance.

Le page des bâtons est un compagnon de travail, ou encore un ami influent qui nous permet de trouver du travail, de réaliser un bon placement ou encore nous apporte ce qu'on pourrait appeler une «aide providentielle» s'il est encadré par des cartes positives. Cela peut aussi représenter de la réussite en affaires. Enfin, on doit tout de même se méfier de cette personne si elle est entourée de cartes négatives.

SANTÉ: nourriture saine; éviter la gourmandise.

L'homme noble prêche la substance dans ses paroles et la durée dans sa conduite.

19

AIDE
PROVIDENTIELLE
AS ÉPÉE

MONDE
DE LA
VERTU
ASSOCIÉ AU
MONDE
DE LA
SPIRITUALITÉ

LE PAGE DES PENTACLES

(lié aux 2É et 7É --orienteur LE MAGICIEN, instructeur LA MORT)

MONDE DU ZÈLE: spiritualité.

Invitation à poursuivre ta démarche spirituelle. Il y a encore beaucoup de choses à apprendre dans le domaine de la vertu. Continuer le contact avec la sagesse. L'étude et la réflexion apporteront leurs fruits. Messager ou intermédiaire pour apporter une certaine sérénité dans le vécu quotidien. Aube d'une carrière ou profession. Promotion. Comptes à payer. Messages: affectif, nouvelle, téléphone, lettre, monétaire (rentrée d'argent), déménagement.

Les vraies connaissances sont celles qui nous amènent à mieux nous connaître, à mieux nous aimer. Quand nous avons découvert en nous, tous les trésors enfouis depuis des millénaires, que nous en prenons conscience et que nous les amenons à la lumière, il est très facile ensuite de connaître et d'aimer l'autre. L'autre nous devient un cadeau précieux que nous entourons de nos plus belles pensées, que nous habillons de la chaleur de notre tendresse et à qui nous sommes prêts à donner la main pour devenir créateur.

Les pages symbolisent la jeunesse et en même temps l'adulte en devenir, ils sont des messagers de tous genres: facteurs, journalistes, enseignants, armateurs, producteurs, écrivains, conseillers, rapporteurs, livreurs, etc. Ils sont des personnages énigmatiques, de passage dans notre vie comme un employeur, un ou une compagne de travail, un voisin, etc. Vérifier s'ils sont honnêtes dans leurs messages et si ce n'est pas du commérage. Se rappeler que les pages se rapportent à des nouvelles par lettres, téléphones, fax, rencontres impromptues. Peu importe le genre de personnage, évitez avec lui le commérage ou la médisance.

Le page des Pentacles est un intermédiaire auquel on peut se confier en toute liberté, spécialement dans une affaire de coeur. Peut aussi représenter l'amitié ou le «copinage» lors d'un voyage, de vacances ou d'activités à l'extérieur de la maison. Attention: évitez de confondre cette amitié à de l'amour. Toutefois, il peut être annonciateur d'une rencontre affective ou amoureuse.

SANTÉ: éviter les excès, les abus sinon ! le foie.

La vraie connaissance, c'est l'amour.

20

AIDE
PROVIDENTIELLE
AS ÉPÉE

MONDE
DE LA
VERTU

LE PENDU OU LE CHRIST CRUCIFIÉ

3° ORIENTEUR

(lié aux 3É et 8É -- instructeur LA MORT)

Ne pas se laisser crucifier par une situation. Ne fait rien pour s'en sortir. Karma que l'on vit. Situation incontrôlable mais qui va finir par arrêter. Les épreuves que l'on vit. Les sacrifices, la douleur, la peine, la santé, les trahisons, la séparation. Les illusions, pertes d'argent, etc. Dépression, idées noires, suicidaires.

Situation difficile à vivre et qui éprouve notre foi. L'assurance demeure quand même au fond de notre coeur que nous allons nous en sortir. **Nous avons déjà gravi beaucoup de niveau:** physique, matériel, végétatif, animal, mental, causal, spirituel. Il nous reste à vivre cette nuit de l'âme si difficile afin de devenir celui pour **qui le**

mot amour n'est plus un mot, il est devenu l'AMOUR.

Faire appel aux êtres de lumière. Se brancher à un autre niveau, monter au-dessus des nuages (symboliquement parlant) pour voir que le Soleil (manifestation visible de l'aura du Christ et des autres êtres de lumière) est toujours là, nous donnant sa Lumière, sa Chaleur et sa Vie.

Revirement auquel il faut faire face avec foi et confiance. Nous deviendrons un instrument divin, un transmetteur d'AMOUR.

Âme impersonnelle.

SANTÉ: se changer les idées au moyen des loisirs, distraction, voyage, vacances, méditation. Demander de l'aide humaine et spirituelle (Lumière).

21

AIDE
PROVIDENTIELLE
AS ÉPÉE

MONDE
DE LA
VERTU

LES AMOUREUX

4° ORIENTEUR

(conséquence ultime des épées, lié aux 5É et 10É - instructeur LA MORT)

Mots clés: équilibre, harmonie, tendresse.

Tableau de l'innocence des amoureux qui croient que la sincérité de l'Amour peut permettre d'affronter la vie. L'amour peut tout mais dans le respect.

Tout a un sens. L'esprit de la différence au niveau du sexe: **l'homme**, la cause: **la femme**, les effets.

Pour le divin, il protège autant l'homme et la femme.

Multiplicité des choix. Arrivée à une croisée des chemins, on doit choisir ce qui nous semble être le meilleur pour notre avancement sur les différents plans de l'existence.

Carte qui implique **une idée de service l'un pour l'autre** ou **le service à une cause qui nous tient à coeur.** Rencontre imprévue, coup de foudre.

Efforts et travail à faire sur nous. Travail qu'on aime. Naissance. Concerne les arts (musique, peinture, mode, poésie). Un nouveau travail ou nouvelle carrière.

SANTÉ: peur de l'insécurité.

Redevenir comme un petit enfant qui s'émerveille d'une fleur, d'un sourire, qui rit aux éclats, qui fait confiance à tout et à tous.

22

AIDE
PROVIDENTIELLE
AS DES
COUPES

MONDE
DE LA
SANCTIFICATION

L'EMPEREUR
1° ORIENTEUR

(lié aux 2C, 7C et chP -- instructeur LA FORCE)

Édification

Cette carte représente le jeune, l'adolescent qui vit une nouvelle étape de vie. Peut aussi représenter les personnes âgées.

Orienteur, guide, instructeur disciplinaire, conseiller, l'homme sage et d'expérience, père ou grand-père, propriétaire, contracteur, gouvernement, banquier, comptable, juge.

Apprendre à se connaître. Bâtir. Foncer. Expérimenter. Personne qui vit des expériences déterminantes pour arriver à la réalisation de son destin. Le conservatisme nécessite aussi de l'avant-gardisme.

Il faut être capable de s'aimer pour arriver à aimer et à respecter les autres. Se respecter.

Le contrôle sur les émotions. Concerne un déménagement, achat d'immeubles. La famille en général.

Clé de la sagesse: redevenir comme un enfant qui ne juge pas. Cesser de critiquer. Le niveau psychique de l'être ne dépend pas de ce qu'il sait, mais il dépend des mille et une expérience qu'il a vécue en augmentant graduellement son amour et sa sagesse. Régit l'autorité, la discipline et non la dictature ou la tyrannie.

SANTÉ: maladies du vieil âge (sénélité, etc.)

«Que celui qui porte la beauté en lui n'aie crainte; le soleil et la lune sont d'accord avec lui».

David Morton

23

AIDE
PROVIDENTIELLE
AS DES
COUPES

MONDE
DE LA
SANCTIFICATION

LA TEMPÉRANCE
2° ORIENTEUR
(lié aux 4C, 9C et chC -- instructeur LA FORCE)

Mots clés: balance, mesure.

Le diadème d'or avec un médaillon en son milieu, symbolise le haut niveau de conscience atteint et indique que le lien avec le ciel est toujours présent.

Dans chaque main, l'Ange tient une coupe, symbole des deux courants majeurs de la Création. Le liquide qui s'écoule d'une coupe à l'autre indique que les énergies négatives sont transformées en énergies positives pour atteindre un plus haut degré de conscience.

Être impeccable dans ses paroles, ses sentiments et ses gestes. Travailler avec un coeur intelligent, un mental clair, lumineux. Être capable de mesurer avec justice les énergies lunaires (imagination) et les énergies solaires (volonté). Doser les différentes forces sinon gare aux béquilles tel que la boisson, la drogue, les idées noires.

Il faut se mouiller les pieds (travailler) pour arriver de l'autre côté où le soleil est déjà levé.

Le temps, la certitude et l'action amènent toujours la réussite.

Temporise tes énergies. Tu vas être aidé par le ciel. Avoir un équilibre.

Les jouissances, les distractions, les vacances. Dans tous les milieux, concerne les amours, les enfants.

Régit le magnétisme, le psychisme, l'équilibre en tout.

SANTÉ: éviter les abus conduisant vers la toxicomanie.

24

AIDE
PROVIDENTIELLE
AS DES
COUPES

MONDE
DE LA
SANCTIFICATION

LA FORCE
2° INSTRUCTEUR DU MONDE DE LA SANCTIFICATION
(lié à l'AS des C)

Mots clés: apprivoiser, calmer.

Deuxième instructeur qui vient nous dire que la douceur et la tendresse sont une grande force.

La force la plus puissante au monde qui peut vaincre le plus fort des animaux sur cette carte, c'est **l'AMOUR**. **L'amour vainc tout et rien ne lui résiste**. Régit l'énergie ou l'agressivité, le courage, la ténacité, la fierté.

Femme qui apaise, pleine de compassion. Celle qui porte en elle, l'Amour dans toute l'acceptation du mot et qui le prouve par des faits.

Apprendre à maîtriser les ennuis quotidiens avec douceur, subtilité et raffinement, à maîtriser ses sens, l'égo, et devenir doux et humble de coeur.

Se faire des alliés. Ne pas remettre au lendemain. On fait face à la situation.

La force de l'âme est douce et pénétrante. Travailler sur soi et utiliser les forces en nous pour monter vers le Divin.

Arcane qui annonce des projets futurs alliés aux loisirs, distractions, vacances. Peut concerner une rencontre.

«L'Amour est tout qui est Dieu même. L'Amour qui chasse toute peine, toute crainte, toute illusion. Aime les choses sans t'y attacher. Aime tous les êtres sans les entraver. Mais pardessus tout, Dieu faut-il aimer car en Lui seul est Liberté. AMOUR et SAGESSE sont VIE et ESPRIT».

Saint François d'Assises

25

AIDE
PROVIDENTIELLE
AS DES
COUPES

MONDE
DE LA
SANCTIFICATION

5 DES COUPES

(lié aux 10C et ChÉ – orienteur L'ÉTOILE, instructeur LA FORCE)

Mots clés: déception, rigueur, discipline dans la série des coupes.

Histoire d'amour, plaisir, distraction, naissance, de toxicomanie, de regret. Situation renversée qui peut devenir un échec. Il faut se retourner, prendre de l'avant et arrêter de jouer au mouton noir.

Tourne la page et accepte de nouvelles opportunités. Sois fort et comprends que cette route ne te mène nulle part. Vis de nouvelles expériences avec plus de sagesse. Ne désespère pas... le destin peut être bon pour toi si tu repars de nouveau.

Concerne les problèmes avec l'être aimé ou les enfants. Aussi séparation, rupture, dispute.

Le 5 symbolise la loi de l'amour dans la joie, la non-possessivité, la chaleur et non l'égoïsme, l'orgueil etc. Représente l'être aimé, les enfants issus de l'Amour conventionnel (mariage). Régit les jouissances, les loisirs, distractions, vacances, les jeux de hasard, les spéculations, les affaires, les chefs d'entreprises, organisation et planification de la vie matérielle et spirituelle. Le 5 peut annoncer une naissance future.

Le 5 des coupes représente une situation ambigue sur le plan des amours. Il signifie que l'on peut être amené à parler de naissance ou d'interruption de grossesse. Un enfant peut avoir des problèmes de toxicomanie, ou encore des problèmes avec la justice. De façon plus générale, cela représente un secret familial. Peut concerner enfants ou petits enfants. (4-8-12).

SANTÉ: éviter les abus, les excès, surtout côté alcool ou autres. Tous les 5 régissent le coeur et la circulation. A ne jamais oublier.

«Tomber, c'est humain, se relever c'est divin». La vie... c'est faire de très petites choses avec un grand coeur.

26

AIDE PROVIDENTIELLE AS DES COUPES

MONDE DE LA SANCTIFICATION

4 DES COUPES

(lié aux 9C et ChC -- orienteur LA TEMPÉRANCE, instructeur LA FORCE)

Carte de la miséricorde.

Le 4, histoire familiale. Le Divin offre quelque chose, une possibilité nouvelle. Ouvre-toi à ce nouveau qu'on t'offre. Tu es satisfait de ce que tu as mais il faut continuer à bâtir.

Tu as le choix de dire non mais ce serait désavantageux. Examine toutes les offres mais agis et bâtis avec confiance.

Aide divine = lève-toi et fais quelque chose avec cette aide.

Déménagement, achat de maison. Éviter les émotions avec la famille. Relié aux états d'âme du père et de sa famille.

Tous les nombres 4 sont reliés symboliquement à la

famille, au père en particulier, aux émotions familiales, au public, au foyer, sa maison, la parenté, aux commérages et à la médisance, aux déménagements ou rénovations du foyer. Quelquefois à l'achat d'une maison.

Le 4 des coupes représente des discussions éventuelles avec le père ou la famille. Il signifie aussi qu'il faut prendre garde à la jalousie qui peut conduire à l'autodestruction. Il signifie qu'il est peut-être le temps de reconsidérer sa vie de couple, qu'il faut faire des concessions... sinon il y a un risque de rupture. De façon plus générale, ça peut représenter la santé du père ou d'un membre de la famille. (4-8-12)

SANTÉ: tous les 4 sont reliés aux problèmes émotifs, à la digestion, à l'estomac.

«L'arc-en-ciel naît de l'heureux mariage du soleil et de la pluie».

27

AIDE PROVIDENTIELLE AS DES COUPES

MONDE DE LA SANCTIFICATION

3 DES COUPES

(lié aux 8C et ChB -- orienteur L'IMPÉRATRICE, instructeur LA FORCE)

La compréhension dans l'intelligence.

Être capable de comprendre la joie de l'échange. Nous sommes des êtres uniques et multiples à la fois. Une invitation à échanger nos expériences tout en restant soi-même.

Le partage de nos joies, de nos peines, de nos espoirs, de nos découvertes, de notre vécu, peut apporter à l'autre une joie immense.

Se parler d'âme à âme sans artifices donne à chacun une sensation de plénitude et de remerciement. Joie de l'échange avec un groupe ou celle que l'on aime.

L'échange est la base spirituelle de la fécondité mentale.

Les cours, les études, l'enseignement. Les frères et soeurs. Les déplacements, la danse, la comédie, les traducteurs, la jeunesse.

Tous les 3 au niveau du symbolisme sont reliés à la communication, les dialogues, les écrits, les démarches, les frères, les soeurs, le voisinage, à l'intellect, la cérébralité, à l'intelligence et aux niveaux de la conscience, les mass-médias, les petits animaux.

Le 3 des coupes est relié aux communications émotives, à l'entourage, à la famille, aux frères et soeurs. Il peut annoncer des nouvelles concernant la santé, une grossesse ou un avortement pour soi-même ou dans l'entourage proche. Il est relié à la joie de l'échange ou de l'exclusivité. (3-3-12) Il représente la jeunesse.

SANTÉ: régit le système nerveux, les organes de la communication.

28

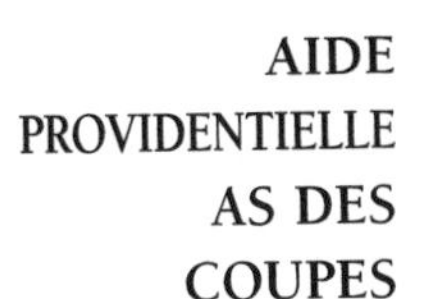

MONDE
DE LA
SANCTIFICATION

2 DES COUPES

(lié aux 7C et ChP -- orienteur L'EMPEREUR, instructeur LA FORCE)

Le détachement

Mots clés: sagesse, détachement.

Joie de l'échange à deux, dans le monde intérieur de l'autre. On vit vraiment des moments de grande intensité, une fusion tout en restant soi-même. Cette relation permet de faire monter l'énergie.

Cette joie intérieure peut résulter aussi de la fusion de nos êtres extérieurs avec notre être intérieur. C'est dans L'AMOUR véritable que nous sommes sanctifiés.

Le 2: possessions, richesses matérielles et spirituelles.

Arrêter de s'inquiéter pour des riens.

Peut indiquer une reprise ou rencontre de l'être aimé. Les biens personnels, achat-vente, acquisitions.

Le nombre 2 au niveau du symbolisme, quel que soit son élément ou sa couleur est toujours associé aux biens personnels, à l'argent gagné à la sueur de notre front. La naissance d'un enfant peut aussi survenir, entrant dans les biens spirituels ou acquisitions. Il est aussi relié aux achats et aux dépenses, concernant le bien-être personnel comme: maison, nourriture, effets personnels, etc. et aussi comment l'on partage au niveau du couple. L'argent en banque ou caisse populaire.

Le 2 des coupes est relié aux biens familiaux, ça peut représenter les héritages, les successions, les pensions, l'aide sociale (4-8-12). Il peut concerner les acquisitions par contrat, mais aussi les impôts et les taxes. Ça représente une réaction émotive face à ce que l'on doit ou ce que l'on possède. Dans certains cas, ça peut être en relation avec le comportement sexuel du couple, la procréation, comme avec sa vision spirituelle de la vie.

SANTÉ: la gorge, la glande thyroïde, la boulimie ou l'anorexie, (les émotions). L'embonpoint.

29

AIDE
PROVIDENTIELLE
AS DES
COUPES

MONDE
DE LA
SANCTIFICATION

AS DES COUPES

2 ° aide providentielle du monde de la SANCTIFICATION (les coupes)

(lié à l'instructeur LA FORCE)

Le détachement

Sommet de la beauté. **Deuxième clé, deuxième cadeau.** Couronne. **L'AMOUR DIVIN qui pénètre en nous** par le détachement des choses matérielles.

Fontaine de jouvence qui se remet à jaillir dans un jardin desséché. Une fontaine qui nourrit le puits central de la renaissance. Accès à une certaine sagesse. Accès à l'énergie. Illumination. Ouverture à la force-aide.

Situation d'extase qui nous est offerte. Un trop plein de

l'âme qui rejaillit dans toutes nos cellules. Contrôle des émotions, les cours ésotériques ou spirituels. Solution que tu as face aux émotions que tu vis.

Les 4 AS symbolisent une aide providentielle qui est à notre disposition si on demande de l'aide, des conseils, soit de parents, d'amis, de personnes influentes. Dans certaines situations, une seconde chance nous est donnée. Peut aussi signifier une période où l'on rêve sa vie plutôt que de la vivre. L'idéalisme peut frôler l'utopie.

L'AS des coupes régit les liens familiaux. Il indique habituellement une période au cours de laquelle on peut couper le cordon ombilical avec la famille, soit voler de ses propres ailes, soit fonder un foyer. Il peut parfois indiquer un long séjour à l'étranger. L'as des coupes est aussi la carte qui régit le comportement sexuel de l'être. Il nous indique une harmonie entre notre vie sexuelle et notre vie spirituelle ou le contraire si négatif.

SANTÉ: tendances pour certains vers la toxicomanie, l'illusion, éviter la dépression.

«Le soleil que les gens apportent dans la vie des autres est encore plus brillant dans la leur ».

Sir James Barrie

30

AIDE PROVIDENTIELLE AS DES COUPES

MONDE DE LA SANCTIFICATION

10 DES COUPES

(lié aux 5C et ChÉ -- orienteur L'ÉTOILE, instructeur LA FORCE)

Plénitude totale.

Une joie abondante de savoir qu'on entre dans le royaume. Alliance heureuse entre le Divin et nous, quelque soit la situation. On déborde de joie, de lumière. Enfin le coeur est content et se repose. Extase. Bonne entente familiale, entrée dans sa demeure (maison), promotion au travail ou meilleur travail. Concerne la carrière, la profession, la réputation, le standing social. Relié aux états d'âme de la mère et de sa famille.

Le nombre 10 symbolise le milieu social où l'on vit, la parenté (la mère en particulier), l'autorité, le gouvernement, le patron, la carrière ou la profession, la réputation, la sagesse, la maturité, le pays ou la ville où l'on vit. Concerne les immeubles, les assurances, les comptables, les personnes âgées, les grands-parents.

Le 10 des coupes représente les liens familiaux et spécialement le contact avec la mère, indique qu'on veut se procurer la maison de ses rêves. Aussi qu'on peut être dans une période au cours de laquelle on songe à changer de ville, voire même de pays. Il représente également une bonne période sur le plan familial ou le contraire. (4-8-12).

SANTÉ: la gorge, la glande thyroïde, la boulimie ou l'anorexie, (les émotions). L'embonpoint.

Face à l'immensité, il est bon de projeter abondamment des ondes d'amour, de paix, de joie, que les âmes unies capteront et projeteront à leur tour pour encercler la terre d'une aura harmonieuse. Se bombarder de rayons d'amour, se caresser par des cadeaux de lumière, s'entourer les uns et les autres du bleu de la paix, ferait de notre terre un jardin de paradis. Le «laser» le plus puissant à la portée de tous les hommes, qui ne coûte rien d'autre. . . que de savoir aimer !

31

AIDE
PROVIDENTIELLE
AS DES
COUPES

MONDE
DE LA
SANCTIFICATION

9 DES COUPES

Première fondation.

(lié aux 4C et ChC -- orienteur LA TEMPÉRANCE, instructeur LA FORCE)

Le discernement

Il ne faut pas s'épuiser dans les moyens. Il y a un réajustement à faire. Se servir de la disponibilité autour de nous. Apprendre le discernement. Capacité de travailler avec l'énergie et assurance de réussir.

Amour. Émotion. (Si tout se fait dans la lumière). On pense à voyager. On est satisfait mais on ne peut pas rester comme tel. Il faut continuer à progresser.

Le 9: hautes études spirituelles. L'étranger. Voyage lointain. Belle-famille, beaux-frères et belles-soeurs. Les sports.

Le nombre 9 symbolise le protecteur, le parrain, le distributeur de richesses spirituelles et matérielles. C'est l'argent que l'on va recevoir, venant de toutes sortes de sources, loteries, travail, gains, héritage. Il régit les sports, les voyages, les étrangers incluant les belles-soeurs et les beaux-frères. Ésotérique. Régit la générosité, la courtoisie, quelquefois l'autoritarisme ou «Ti-Jos» connaissant.

Le 9 des coupes signifie un voyage qui, habituellement, nous permettra de retrouver la famille, ceux que l'on aime. Indique une période propice à la méditation, à l'enseignement spirituel ou ésotérique, à l'étude des langues. Il peut aussi évoquer des aventures amoureuses qui pourraient se dérouler ailleurs que dans notrecadre de vie habituel. (4-8-12).

SANTÉ: régit le nerf sciatique, la visicule biliaire, les abus.

32

AIDE PROVIDENTIELLE AS DES COUPES

MONDE DE LA SANCTIFICATION

8 DES COUPES

(lié aux 3C et ChB -- orienteur L'IMPERATRICE, instructeur LA FORCE)

Une destruction pour une reconstruction. On te demande de suivre une route nouvelle qui sera ta route à toi. Il ne faut pas essayer de faire comprendre aux autres les mobiles de ton geste. C'est une perte de temps.

Le 8, monde de la gloire et de l'honneur. Engage-toi dans cette nouvelle voie, arrête d'analyser et de te comparer. Tourne le dos à certains amis, la lumière est devant. Transformation à faire dans sa vie sinon... Concerne aussi le monde des affaires.

Le 8 symbolise les actions positives ou négatives que l'on fait dans la vie, la volonté et le courage, le pionnier, la fierté, l'organisateur, le chef, le psychologue, le sexologue, la loi et la justice ainsi que le comportement sexuel de l'être, le rythme naissance / vie / mort / renaissance. Il marque la fin d'une chose pour le début d'une autre. Les prêts, les emprunts, l'impôt et les taxes, les héritages, les successions, le chômage, la pension de vieillesse, le bien-être social, etc. sont régis par le nombre 8.

Le 8 des coupes concerne les émotions affectives avec la famille ou avec l'être aimé. Les promesses, les périodes de naissance ou d'avortement autour de soi ou pour soi-même. C'est une période de prise de conscience de sa vie affective et spirituelle. Quelquefois, ça signifie des problèmes concernant des contrats, de l'argent, des prêts, des remboursements, un problème de succession. Période de secrets familiaux à éclaircir. Concerne la loi et la justice. (4-8-12).

SANTÉ: précaution à prendre côté des organes génitaux ou de blessures mal soignées.

> **«Ce que tu fais, tu dois le faire consciemment, volontairement, avec un grand Amour. Si tu ne peux accomplir ainsi ton travail, il n'est pas accepté de Dieu. C'est-à-dire, qu'il n'est pas en accord avec les grandes Lois, qui sont à la base de l'Univers. Mais si tu le fais ainsi, alors ton travail est reçu de Dieu. La nouvelle forme du travail est la libre création».**
>
> **Peter Deunov**

33

AIDE
PROVIDENTIELLE
AS DES
COUPES

MONDE
DE LA
SANCTIFICATION

7 DES COUPES

(lié aux 2C et ChP – orienteur L'IMPEREUR, instructeur LA FORCE)

Monde le la victoire. Fêtons la mort de nos illusions. Illumination.

On a vécu toutes sortes d'expériences, le voile se déchire... Grâce à la connaissance qui est l'Amour, on a maintenant accès aux causes. Les 4 vertus cardinales ou les 7 péchés capitaux.

Ambivalence, dualité. Côté affectif ou commercial, 2 choix nous sont offerts. Le 7: Beauté, douceur, raffinement, tendresse, art.

Le nombre 7 symbolise l'harmonie, l'équilibre, la beauté, les arts, les associations de tous genres, rencontres, cohabitation, mariage ou le contraire indépendamment des autres lames qui l'entourent, ou s'intéresse aussi à l'art. Période où l'on doit prendre ses responsabilités. Il symbolise aussi la loi du couple. Tous les nombres 7 représentent le / la conjoint (e).

Le 7des coupes représente l'équilibre émotif du «groupe», de la famille. Il représente une nouvelle association, soit sur le plan amical, soit sur le plan sexuel. Il nous prévient de prendre garde à l'envie, à la jalousie et à la convoitise. Il peut également représenter un déchirement ou une querelle avec des gens que l'on aime.

SANTÉ: attention particulière aux seins, à la peau et aux reins. Ceux-ci peuvent conduire à l'arthrite, lumbago, ou rhumatisme.

«C'est au coeur de l'hiver que j'ai enfin appris qu'un invincible été m'habitait».

Albert Camus

34

AIDE PROVIDENTIELLE AS DES COUPES

MONDE DE LA SANCTIFICATION

6 DES COUPES

(lié à l'AS des CC et ChP – instructeur LA FORCE)

Monde le la beauté.

Prendre conscience de nos scénarios passés parce que nous avons joué tous les jeux. Quand on vit le 6 des coupes, on est enfin capable de trouver une réponse, de s'en sortir. L'instant présent bâtit le futur. Si on observe cela, c'est l'Amour qui éclairera notre vie.

Le 6, le service dans la pureté. Dévouement dans l'Amour et non la servilité. On est responsable si quelqu'un profite de nous.

Porte qui s'ouvre pour laisser entrer le chevalier des coupes. Éliminer le passé et ses souvenirs. Tu es bien installé chez toi. Quelqu'un qui aime la nature ou qui fait de la médecine douce. Joie au niveau du travail.

Le 6 symbolise la loi du travail. Il régit les ouvriers, les travailleurs, les artisans, la médecine naturelle incluant les guérisseurs, les voyants, les médiums, la dextérité manuelle, la pureté, la perfection aussi l'insécurité.

Le 6 des coupes représente le travail au foyer ou avec la nature (fermier, agriculteur, éleveur, garde-forestier, etc.). Il peut aussi représenter le médium, le guérisseur, le psychologue, et la police et la justice. Également, qu'il faut chercher à contrôler notre insécurité et notre instabilité émotive, spécialement face au commérage au travail. (4-8-12).

SANTÉ: surveiller les intestins. Ne pas rester plus d'une journée sans qu'ils agissent.

Telle une fleur qui s'ouvre sous les chauds rayons du soleil et qui boit la rosée du matin, l'être humain doit s'ouvrir à la force magique de l'Amour pour devenir une rose aux mille pétales. Son parfum envahira la terre, sa couleur sera en lien constant avec la beauté et sa forme créera des choses magnifiques.

35

AIDE PROVIDENTIELLE
AS DES COUPES

MONDE DE LA SANCTIFICATION

LE CHEVALIER DES ÉPÉES MESSAGER

(lié au 5 et au 10C -- orienteur L'ÉTOILE, instructeur LA FORCE)

Il est demandé ici, beaucoup de courage et de détermination pour se libérer d'une situation.

Il faut couper le cordon avec la mère, avec le passé, avec le travail. C'est destructif pour les yeux des autres mais très constructif pour toi. En ce moment, tu vas à contre-courant, tu grimpes dans les rideaux. Tranche, coupe, après tu auras un sentiment de plénitude. Sers-toi de ton habilité et de ton courage. Contrôle tes émotions. Vous allez recevoir des nouvelles par téléphone ou lettre.

Plein d'énergie: grimpe dans les rideaux, réfléchis et analyse tout ça. Avec le roi des épées, il faut faire attention aux impôts.

Les 4 chevaliers ou les 4 cavaliers représentent les idées, les pensées, les messages de tous genres que nous recevons tous les jours par les mass-médias, la télé, la radio ou les personnes de notre entourage que ce soit au travail, au restaurant, au centre de loisirs, etc. Ils peuvent représenter un(e) ami(e), un employé, un compatriote, un étranger, un amant pour la femme ou un rival pour l'homme. Dans tous les cas, les expériences que l'on vit à travers les messages (ou des commérages) qu'ils nous transmettent, peuvent changer notre vie, selon les affinités qu'ils ont avec nous. Ces chevaliers sont des personnages d'environ 18 à 35-40 ans alors que les rois sont plus âgés (40 ans et plus) et les pages sont plus jeunes. Tous les chevaliers et les pages peuvent être des personnages féminins.

Le chevalier (ou cavalier) des épées est un messager qui nous aide à trancher une situation ambigue. Il a un pouvoir destructif mais pour changer, il doit démontrer de l'habilité et du courage. C'est une personne cérébrale difficile à dialoguer. Il agit mais ne pense pas assez. Anticonformiste, original, peut-être marginal, c'est un jeune homme compliqué, énergique, arrogant (grimpe dans les rideaux). C'est un ami, une connaissance, un amant ou un rival. (Élément air. 3-7-11)

SANTÉ: contrôle sur les nerfs. Bien dormir.

«Souviens-toi que demain la providence se lèvera avant le soleil».

36

AIDE PROVIDENTIELLE AS DES COUPES

MONDE DE LA SANCTIFICATION

LE CHEVALIER DES COUPES MESSAGER

(lié au 4C et au 9C -- orienteur LA TEMPÉRANCE, instructeur LA FORCE)

PERSONNE EN QUI ON PEUT AVOIR CONFIANCE. Lentement mais sûrement le pouvoir divin vient. Jonas refusait mais il a fallu qu'il passe cette initiation. Ne brûler pas les étapes et tenir la situation bien en main. La coupe de la vie est stable mais lente. Les pouvoirs spirituels la guident.

Période de méditation à la suite de nouvelles que vous venez de recevoir ou que vous allez recevoir. Déplacement pour affaires ou pour ceux qu'on aime. Demander le nectar, la Lumière, et le reste vous sera donné avec abondance. Invitation ou une visite qui nous fait plaisir. Lame de bonheur par modification amoureuse ou séparation à venir. Émotions, nouvelles familiales au niveau du couple de l'ami. Quelquefois, cadeau, argent, loto, héritage.

Plein d'énergie: grimpe dans les rideaux, réfléchis et analyse tout ça. Avec le roi des épées, il faut faire attention aux impôts.

Les 4 chevaliers ou les 4 cavaliers représentent les idées, les pensées, les messages de tous genres que nous recevons tous les jours par les mass médias, la télé, la radio ou les personnes de notre entourage que ce soit au travail, au restaurant, au centre de loisirs, etc. Ils peuvent représenter un(e) ami(e), un employé, un compatriote, un étranger, un amant pour la femme ou un rival pour l'homme. Dans tous les cas, les expériences que l'on vit à travers les messages (ou des commérages) qu'ils nous transmettent, peuvent changer notre vie, selon les affinités qu'ils ont avec nous. Ces chevaliers sont des personnages d'environ 18 à 35-40 ans alors que les rois sont plus âgés (40 ans et plus) et les pages sont plus jeunes. Tous les chevaliers et les pages peuvent être des personnages féminins.

Le chevalier (ou cavalier) des coupes est un messager au niveau des psycho-drames de la vie. Il annonce ou présage des conflits avec la loi ou des problèmes au niveau sexuel. C'est un jeune homme aux cheveux clairs. Il aime le pouvoir en amour comme en affaires. C'est peut-être un ami, amant, conjoint ou rival. (Élément eau (4-8-12).

SANTÉ: bien équilibrer ses énergies et ses besoins. Ne pas abuser en rien.

La patience est la petite soeur de l'amour. «Souviens-toi que demain la providence se lèvera avant le soleil».

37

AIDE
PROVIDENTIELLE
AS DES
COUPES

MONDE
DE LA
SANCTIFICATION

LE CHEVALIER DES BÂTONS MESSAGER

(lié au 3C et au 8C -- orienteur L'IMPÉRATRICE, instructeur LA FORCE)

IDÉE D'EXPÉRIENCE. Scénario ou défi qui nous revient surtout côté monétaire et affectif. Dans le passé, on a dit non car on ne se croyait pas assez fort. Aujourd'hui, on nous donne des expériences plus pénibles à vivre mais nous sommes capables de les affronter. Il faut y faire face avec prudence et force. Savoir oublier la haine, elle empoisonne toutes les cellules de notre être. Elle gruge nos énergies et fait fuir les êtres lumineux.

Touche le domaine de l'argent ou le travail. Nouvelles qui nous déçoivent. Concerne les voyages ou le travail. Retards ou empêchements. Le chevalier (ou cavalier) des bâtons aime voyager surtout pour le travail. Quelquefois jaloux, il aime l'autorité et la critique.

Les 4 chevaliers ou les 4 cavaliers représentent les idées, les pensées, les messages de tous genres que nous recevons tous les jours par les mass médias, la télé, la radio ou les personnes de notre entourage que ce soit au travail, au restaurant, au centre de loisirs, etc. Ils peuvent représenter un(e) ami(e), un employé, un compatriote, un étranger, un amant pour la femme ou un rival pour l'homme. Dans tous les cas, les expériences que l'on vit à travers les messages (ou des commérages) qu'ils nous transmettent, peuvent changer notre vie, selon les affinités qu'ils ont avec nous. Ces chevaliers sont des personnages d'environ 18 à 35-40 ans alors que les rois sont plus âgés (40ans et plus) et les pages sont plus jeunes. Tous les chevaliers et les pages peuvent être des personnages féminins.

Le chevalier (ou cavalier) des bâtons a appris ou doit apprendre la loi du détachement. C'est une personne violente mais généreuse parlant beaucoup, rapide et efficace dans le travail. Elle a du mal à faire l'analyse de la situation mais ensuite son action est bonne et intelligente. Sa mémoire est bonne. Jeune homme de taille moyenne, brun. C'est un ami, employé, associé, compagnon de travail. Pour l'homme, c'est un rival possible, pour la femme, un amant qui peut devenir son conjoint. (Élément terre. 2--6-10)

SANTÉ: l'insécurité conduit à la peur. Ne pas exagérer côté travail. Bien équilibrer loisirs, distractions, travail. Passer du temps avec l'être aimé, sa famille, ses amis et surtout ses enfants.

«Que ta volonté soit faite».

Bataille de Job avec l'Ange.

38

AIDE
PROVIDENTIELLE
AS DES
COUPES

MONDE
DE LA
SANCTIFICATION

LE CHEVALIER DES PENTACLES MESSAGER

(lié au 2C et au 7C – orienteur L'EMPEREUR, instructeur LA FORCE)

Personne sûre et serviable à qui l'on peut faire confiance mais qui a besoin d'être secoué pour avancer. Tu as certaine connaissance, ne t'arrête surtout pas. La route est longue de la terre au ciel. Continue toujours !

Penser à la parabole des Talents.

Nous avons des possiblités infinies à faire sortir de nous pour qu'elles se multiplient afin d'en faire profiter tous les autres autour de nous. Concerne le commerce, la réflexion. Voyage futur ou à planifier.

Les 4 chevaliers ou les 4 cavaliers représentent les idées, les pensées, les messages de tous genres que nous recevons tous les jours par les mass médias, la télé, la radio ou les personnes de notre entourage que ce soit au travail, au restaurant, au centre de loisirs, etc. Ils peuvent représenter un(e) ami(e), un employé, un compatriote, un étranger, un amant pour la femme ou un rival pour l'homme. Dans tous les cas, les expériences que l'on vit à travers les messages (ou des commérages) qu'ils nous transmettent, peuvent changer notre vie, selon les affinités qu'ils ont avec nous. Ces chevaliers sont des personnages d'environ 18 à 35-40 ans alors que les rois sont plus âgés (40ans et plus) et les pages sont plus jeunes. Tous les chevaliers et les pages peuvent être des personnages féminins. Tous les chevaliers aiment voyager ou enseigner.

Le chevalier (ou cavalier) des pentacles a une taille moyenne, les yeux bleus ou noirs et les cheveux foncés. C'est un jeune homme ambitieux, ami ou amant, frère ou conjoint. C'est un messager dans le monde spirituel ou matériel. Il est sûr et serviable. On peut lui faire confiance mais quelquefois a besoin d'une poussée, il peut se servir des autres surtout du côté monétaire. Il symbolise un cheval lent, endurant, massif qui correspond à son propre relief. Il apporte des nouvelles d'argent. Il possède une grande énergie mais qui paraît dépourvu d'ambition. S' il vit dans le monde spirituel, il a appris la loi du détachement, il est lent à s'émouvoir mais très compétent une fois ses décisions prises. (Élément feu. 1-5-9)

SANTÉ: plus d'un milliardaire donnerait sa fortune pour avoir une bonne santé. Éviter les excès en tout.

39

AIDE PROVIDENTIELLE AS DES COUPES

MONDE DE LA SANCTIFICATION

L'IMPÉRATRICE
3° ORIENTEUR
(lié au 3C et au 8C -- instructeur LA FORCE)

Représente une femme, amie ou rivale. C'est peut-être une thérapeute, une astrologue, une numérologue ou tarologue ou cartomancienne.

Coeur du tarot.

Énergie divine sur le plan terrestre. Une aide, une assistance que l'on reçoit. Le Christ est en nous. Pouvoir de la force vitale. La corne d'abondance de la Connaissance. Régit les écrivains, les enseignants, les artistes, les arts en général, la mode, l'esthétique, les designers. Action et intuition (main droite, main gauche). Par nos richesses spirituelles amassées, il nous sera donné d'avoir accès à la **Connaissance** et à l'**Amour** (spirituel ou superficiel). Accès au plan cosmique.

Ne pas s'agripper à la mère. Éviter les excès. Aspect féminin et fertile de Dieu. **LA MÈRE NATURE**. Si négative peut signifier que vous ne respectez pas une des 12 lois cosmiques. Exemple: la séduction, l'envie, l'adultère, la jalousie, l'orgueil.

SANTÉ: attention aux reins. Surtout aux changements de saisons qui agissent sur la peau ou les douleurs rhymatismales.

Tête auréolée d'un cercle blanc:	*pureté parfaite.*
Douze étoiles:	*Signes du Zodiaque, les douze maisons du ciel et les 12 lois.*
Souveraineté dans l'Univers	
Chez les anciens Égyptiens:	*Déesse Isis.*
Dans la religion hindoue:	*Mère adorée Kali.*
Dans la religion chrétienne:	*La Madone.*

Saint-Jean dans l'apocalypse la décrit ainsi:

«Un autre signe parut dans le ciel: une femme enveloppée du soleil, la lune sous ses pieds, et une couronne de douze étoiles sur sa tête».

«Prendre de notre mère la nature son exemple vivant et se conformer à ses lois».

40

AIDE
PROVIDENTIELLE
AS DES
COUPES

MONDE
DE LA
SANCTIFICATION

L'ÉTOILE
4° ORIENTEUR
(l'objectif des coupes. Lié aux 5C et 10C – instructeur LA FORCE)

SE FIER À SA BONNE ÉTOILE

C'est l'Ève cosmique, c'est l'Amour cosmique. Elle verse le courant positif dans une rivière et le courant négatif sur la terre pour la spiritualiser. L'eau du sol coulera vers la rivière de vie où viendront boire toutes les créatures vivantes. Cette eau de vie s'appelle: **L'AMOUR UNIVERSEL**

Notion de l'amour: *prendre et donner*
Force de la vie: *elle puise en haut et redonne en bas.*
Étoile à 8 branches: *représentation du Divin chez les Mayas.*

Une aide invisible que nous allons recevoir. Notre conscience, telle cette étoile de Bethléem, brille en nous et nous indique le chemin. Régit la nature, les endroits calmes et beaux, l'espoir, le rêve, la sensualité.

La souffrance est une part de notre ignorance. Dès que l'on sait, on élargit les niveaux de notre conscience et on devient moins vulnérable.

Arcane de la **révélation**, de l'**inspiration**, de l'illumination tant sur le plan spirituel que matériel.

«Revets l'Amour comme une cuirasse, devant les méchancetés du monde. C'est l'unique force qu'aucune arme ne peut percer. C'est sur la mer en tempête, un vaisseau que nulle vague ne peut submerger. C'est une richesse que personne ne peut voler. C'est un savoir qui ne se perd jamais».

Peter Deunov

41

AIDE
PROVIDENTIELLE
AS DES
COUPES

MONDE
DE LA
SANCTIFICATION

LA PAPESSE
1° ORIENTEUR
(la grande prêtresse, lié aux 3B, 8B et ReB -- instructeur LE SOLEIL)

Image de pureté et de quiétude. Interceptrice entre le Divin et l'humain.

Temple de la connaissance. Les deux colonnes Jakim et Boas ont servi au roi Salomon à édifier son temple. C'est aussi les deux pieds du logos de l'apocalypse. Ces deux colonnes supportent la tension entre les deux pôles créateurs (le positif, le négatif = principe créateur). Le trône symbolise la royauté papale, l'ultime sagesse conduisant à la connaissance.

Maîtrise la Lune (l'imagination) pour ne pas avoir peur. Apprends à aimer dans le détachement. Tu es invité à travailler avec les deux facultés: **L'INTELLECT ET L'INTUITION**. Carte des médiums.

Accès aux causes premières des événements que l'on vit. C'est dans la quiétude et la paix que la petite voix intérieure nous parle.

SANTÉ: la discipline aidant à éviter les tentations.

Puissance terrestre et divine pour le ciel.

Instructeur, gourou, thérapeute, médium, voyant. Don de thérapeute.

Quand on sort la carte LA PAPESSE, on doit sortir une deuxième carte qui nous donnera des informations complémentaires.

Régit le contact avec le public, les emplois conduisant à des hauts postes, la parapsychologie et lapsychologie, les autorités féminines, la mère, la belle-mère, la gardienne, l'éducatrice d'enfants, la gérante, la directrice, la thérapeute, la juge, l'agente d'immeubles, d'assurances, etc.

42

AIDE
PROVIDENTIELLE
AS ÉPÉE

MONDE DE
L'UNIFICATION

LA JUSTICE
2° ORIENTEUR
(lié aux 5B, 8B et ReÉ -- instructeur LE SOLEIL)

Mots clés: transformation, fin et début.

Véritable justice cosmique. «On récolte ce que l'on a semé», ou justice que l'on nous rend.

A ce niveau, on pourrait dire qu'il s'agit d'un nettoyage en profondeur. Essaye de soupeser chaque expérience pour leur donner une juste valeur. C'est le temps de se dire: «J'ai fait telle chose et je ne suis pas fier de moi. j'ai omis telle autre chose qui aurait pu rendre l'autre heureux». Période de protection pour l'un et de châtiment pour l'autre.

C'est le temps de trancher les litiges. C'est le temps d'avoir une vision des choses plus justes. Peut concerner la justice immanente et transcendante, les contrats, le gouvernement. Si négatif: pertes, échecs, condamnation, escroquerie, mensonge, embûches, pièges, vols.

C'est le temps de peser le pour et le contre. C'est le temps de s'ajuster à l'harmonie du cosmos pour goûter à la liberté. C'est le temps de mettre de l'ordre et de se donner une discipline personnelle de vie.

Litige, procès, la Loi. Le comportement sexuel de l'être. Régit le karma la loi de cause à effet. Ce que tu sèmeras, tu récolteras.

SANTÉ: les maladies concernant les organes sexuels.

La belle légende de Narcisse qui nous vient de la mythologie grecque, raconte qu'il se mirait dans l'eau et il croyait que cette belle image était celle d'un beau personnage inconnu. Ainsi est l'être humain, il oublie trop souvent qu'il est une parcelle du Divin.

43

AIDE PROVIDENTIELLE
AS DES BATONS

MONDE DE L'UNIFICATION

LE SOLEIL
3° INSTRUCTEUR DU MONDE DE L'UNIFICATION
(lié à l'AS des B)

Chaleur **Amour** **Illumination** **Respect**

Véritable justice cosmique. «On récolte ce que l'on a semé», ou justice que l'on nous rend.

Début d'initiation et personne initiée. Profondes aspirations vers une vie spirituelle. L'enfant veut aller vers la Lumière. Un cheminement spirituel se fait dans la joie.

Redevenir un enfant et acquérir l'humilité. Se brancher sur le Soleil (le Christ) et aller vers la Lumière. L'amour est foi, Lumière est chaleur.

Dépasser à nouveau notre propre expérience spirituelle.

Respect de soi et des autres. L'amour n'est jamais peur, envie, jalousie, stress.

Mulet: *entêtement, capacité de faire des travaux à long terme avec persévérance.*

Cheval: *fierté, force et rapidité sur le plan terrestre.*

Croître dans la vérité, l'humilité et l'Amour.

Régit le monde des affaires. Recommencement. Période de rencontre amoureuse. Peut signifier une grossesse ou naissance future. Régit les vacances, loisirs, voyages.

SANTÉ: période de revitalisation.

Les alchimistes expriment le sens de cette carte en disant: «Le phénix est brûlé, et, de sa cendre, renaît un oiseau superbe et nouveau qui s'envole vers le ciel». L'homme ordinaire peut devenir un homme magique s'il laisse son esprit dominer sa matière.

44

AIDE PROVIDENTIELLE
AS DES BATONS

MONDE DE L'UNIFICATION

5 DES BÂTONS

(lié aux 10B et ReÉ -- orienteur LA JUSTICE, instructeur LE SOLEIL)

Mot clé: discipline, rigueur.

Arrête de te battre avec toi-même. Sors du monde de la «patente». Tu t'enlignes vers un cul-de-sac et tu perds ton temps.

Libère-toi et essaie de penser positivement pour pouvoir accomplir des choses utiles et pratiques.

Évite les disputes inutiles, les questions d'amour propre.

Monde des affaires: attention aux propositions.

Le 5 symbolise la loi de l'amour dans la joie, la non-possessivité, la chaleur et non l'égoïsme, l'orgueil etc.

Représente l'être aimé, les enfants issus de l'Amour conventionnel (mariage). Régit les jouissances, les loisirs, distractions, vacances, les jeux de hasard, les spéculations, les affaires, les chefs d'entreprises, organisation et planification de la vie matérielle et spirituelle. Le 5 peut annoncer une naissance future.

Le 5 des bâtons représente les acquisitions matérielles pour ceux que l'on aime. Il indique aussi si l'on aime son travail, si la carrière et la profession sont bien vécues. Il signifie également que même si l'on s'inquiète de l'avenir matériel de nos enfants, nous ne devons pas faire de choix pour eux. De façon plus générale, il peut représenter la naissance d'un enfant ou encore le départ d'un enfant de la maison. (2-6-10)

SANTÉ: la colère engendre souvent avec le temps des problèmes cardiaques. Recherche le calme.

45

LE PASSÉ

AIDE PROVIDENTIELLE AS DES BATONS

ICI ET MAINTENANT

MONDE DE L'UNIFICATION

4 DES BÂTONS

(lié aux 9B et ReC -- orienteur LA TOUR DE DIEU, instructeur LE SOLEIL)

Monde de la miséricorde. S'aider, se valoriser.

On entre dans une nouvelle étape de vie, avec quelqu'un ou un nouveau travail ou déménagement ou achat de maison. On hésite et on a peur de couper avec le passé.

Nouvelle porte qui s'ouvre. Il faut y entrer car le bonheur sera au rendez-vous. Changement de ville. Père, l'esprit familial.

Dès que tu aimes, tu es prêt à devenir serviteur. Si tu m'aimes pas, tu voudras être le maître.

Cela signifie que l'on pense à acheter une maison ou un immeuble, ou encore à rénover ou agrandir, ça peut concerner l'ameublement.

Tous les nombres 4 sont reliés symboliquement à la famille, au père en particulier, aux émotions familiales, au public, au foyer, sa maison, la parenté, aux commérages et à la médisance.

Le 4 des bâtons établit une relation avec la maison paternelle (ça peut être des ententes financières ou une affaire de succession avec le père ou la famille). Cela peut aussi représenter une augmentation de salaire. On pense à acheter sa maison ou immeuble ou à rénover, agrandir, on songe aussi à se meubler. (2-6-10)

SANTÉ: les émotions entraînent les problèmes digestifs, la cellulite, etc.

L'unité, c'est la force...

46

COURAGE

AIDE PROVIDENTIELLE AS DES BATONS

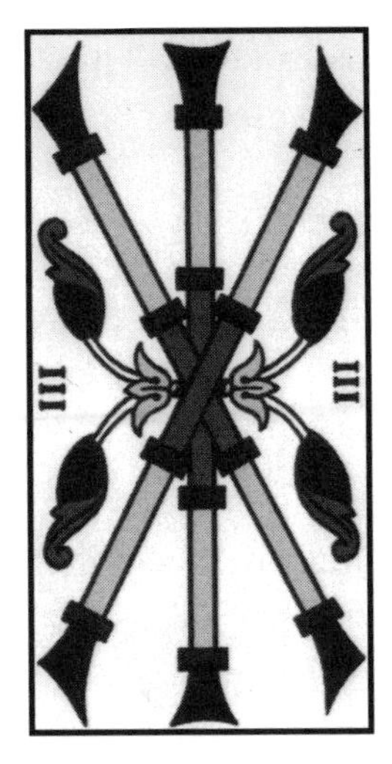

ESPOIR

MONDE DE L'UNIFICATION

3 DES BÂTONS

(lié aux 8B et ReB -- orienteur LA PAPESSE, instructeur LE SOLEIL)

Mot clé: compréhension.

Personne qui a beaucoup travaillé et qui se demande si cela va aboutir.

Il faut continuer jusqu'au bout et tous les efforts seront récompensés.

Utiliser les biens avec sagesse.

Communiquer avec les autres. Frères et soeurs.

Période de prise de conscience. Travail, cours, études, enseignement.

Tous les 3 au niveau du symbolisme sont reliés à la communication, les dialogues, les écrits, les démarches, les frères, les soeurs, le voisinage, à l'intellect, la cérébralité, à l'intelligence et aux niveaux de conscience.

Le 3 des bâtons concerne les problèmes monétaires, les comptes à payer, les communications au travail, les démarches d'affaires, les questions d'argent, les emprunts ou remboursements (notamment avec les frères et soeurs ou leur famille). Il régit l'entêtement, l'introversion, l'honnêteté et la malhonnêteté quant aux questions d'argent ou de contrats, (2-6-10). Ça peut signifier des promesses non tenues, surtout sur le plan monétaire. Il récèle la réputation vis-à-vis les engagements.

SANTÉ: savoir mieux respirer, se calmer les nerfs. Attention particulière aux yeux, aux oreilles, aux poumons et bronches.

Tous les circuits semblent occupés pour le ciel...

47

AIDE PROVIDENTIELLE AS DES BATONS

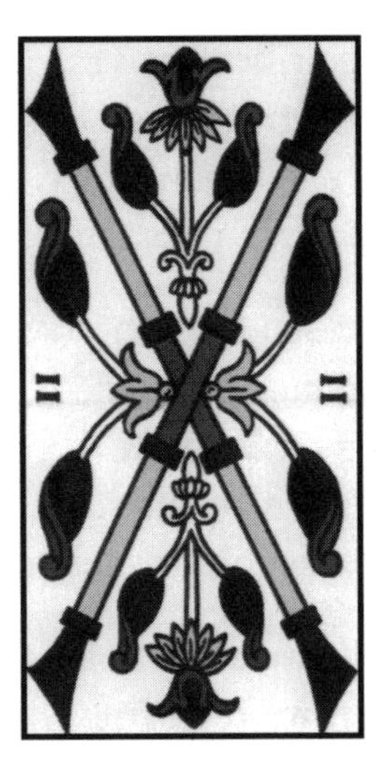

MONDE DE L'UNIFICATION

2 DES BÂTONS

(lié aux 7B et ReP – orienteur L'ERMITE, instructeur LE SOLEIL)

Le 2: possessions matérielles et acquisitions spirituelles.

Mots clés: sagesse, détachement.

Difficulté à concilier notre idéal et ce que l'on vit c'est-à-dire notre potentiel et ce que nous sommes dans la vie de tous les jours.

Essayer d'équilibrer tout cela et aller jusqu'au bout de nos idées pour découvrir une autre réalité moins centré sur le plan matériel. Méditer en fonction d'un achat, placement, etc. Concerne le commerce, achat, dépense, vente.

Le nombre 2 au niveau du symbolisme, quel que soit son élément ou sa couleur est toujours associé aux biens personnels, à l'argent gagné à la sueur de notre front. La naissance d'un enfant peut aussi survenir, entrant dans les biens spirituels ou acquisitions. Il est aussi relié aux achats et aux dépenses, concernant bien-être personnel comme: maison, nourriture, effets personnels, etc. et aussi comment l'on partage au niveau du couple.

Le 2 des bâtons représente ce que l'on a à payer ou à recevoir, l'argent gagné par le travail (salaire, augmentation, promotion, etc.) ou par n'importe quelle autre transaction. Il peut représenter la maison, mais aussi, d'une façon générale, toutes les questions d'alimentation.

SANTÉ: éviter la gourmandise, avoir des repas mieux équilibrés et à des heures régulières.

Il y a dans la vie de tout homme quatre étapes résumées par quatre verbes:

ABANDONNER
DONNER
SE DONNER
SERVIR

48

BÂTIR

AIDE
PROVIDENTIELLE
AS DES
BATONS

CRÉER

MONDE DE
L'UNIFICATION

AS DES BÂTONS

(3° aide providentielle du monde de l'UNIFICATION (les bâtons)

(lié à l' instructeur LE SOLEIL)

Monde de l'unité. Intégrité, sagesse.

Une main que l'on nous tend. Une offre.

Une maîtrise sur notre destin, sur notre plan de vie. Un symbole de pouvoir, de connaissance, d 'autorité.

C'est la carte de progrès qui amène un pouvoir d'entreprise et qui permet d'aller de l'avant.

Promotion, nouvelle carrière ou entrée d'argent. Commerce futur.

Les 4 AS symbolisent une aide providentielle qui est à

notre disposition si on demande de l'aide, des conseils, soit de parents, d'amis, de personnes influentes. Dans certaines situations, une seconde chance nous est donnée. Peut aussi signifier une période où l'on rêve sa vie plutôt que de la vivre. L'idéalisme peut frôler l'utopie.

L'AS des bâtons est une aide importante sur le plan du travail ou des revenus financiers. Indique de bonnes chances de réussite dans les spéculations, les achats, les ventes ou toute autre action à caractère financier. Le bâton représente toujours la «nourriture», tant matérielle que spirituelle de l'être: c'est la loi du détachement par l'échange et la non-possessivité.

SANTÉ: la marche, la culture physique, le yoga, les sports non violents sont à suggérer.

Agir, c'est bâtir, c'est créer et c'est savoir synchroniser le pouvoir de la pensée avec l'ardeur du coeur et mettre au monde des enfants magnifiques sur tous les plans.

49

TRAVAIL

AIDE PROVIDENTIELLE
AS DES BATONS

LOISIR

MONDE DE L'UNIFICATION

10 DES BÂTONS

(lié aux 5B et ReÉ -- orienteur LA JUSTICE, instructeur LE SOLEIL)

L'entrée dans le royaume du mental.

Le 10: la réputation, la position sociale, la carrière, la profession.

Summum de la carrière. Si tu veux réaliser tel ou tel projet, il faut que tu acceptes de le faire étape par étape.

Ne pas en faire trop.

Structure ta vie et allie travail et loisir. Actuellement, il y a trop de poids sur tes épaules, une planification plus soignée t'éviterait de sentir le monde sur tes épaules. On en met beaucoup sur tes épaules, mais tu aimes ça.

Le nombre 10 symbolise le milieu social où l'on vit, la parenté (la mère en particulier), l'autorité, le gouvernement, le patron, la carrière ou la profession, la réputation, la sagesse, la maturité, le pays ou la ville où l'on vit. Concerne les immeubles, les assurances, les comptables, les personnes âgées, les grands-parents.

Les 10 des bâtons représente les avoirs, les biens matériels, le travail aussi, en ce sens qu'il nous dit de ne pas exagérer en consacrant trop de temps au travail ou de se mettre des charges trop lourdes sur les épaules (par exemple: emprunts trop élevés, achat d'une maison trop coûteuse, etc). Il peut indiquer un manque de discernement. (2-6-10)

SANTÉ: système immunitaire, les os, le dos, le squelette.

«A chaque jour suffit sa peine».

50

AIDE PROVIDENTIELLE
AS DES BATONS

MONDE DE L'UNIFICATION

9 DES BÂTONS

(lié aux 4B et ReC – orienteur LA TOUR DE DIEU, instructeur LE SOLEIL)

Le 9: l'éveil à un esprit cosmique.

Mots clés: première fondation, cours, voyage.

Personne qui commence à se réaliser. Il est temps que tu fonctionnes par toi-même et que tu apprennes à assumer tes choix. Expérimente, n'aies pas peur de faire des erreurs...On apprend beaucoup par nos erreurs.

Sois confiant avec la Vie, ne demande pas toujours à droite et à gauche. Suis ton guide intérieur, lâche tes béquilles. La sincérité est ton meilleur guide et tu es protégé dans tes essais.

Le nombre 9 symbolise le protecteur, le parrain, le distributeur de richesses spirituelles et matérielles. C'est l'argent que l'on va recevoir, venant de toutes sortes de sources, loteries, travail, gains, héritage. Il régit les sports, les voyages, les étrangers incluant les belles-soeurs et les beaux-frères. Ésotérique. Régit la générosité, la courtoisie, quelquefois l'autoritarisme ou «Ti-Jos» connaissant.

Les 9 des bâtons représente l'argent gagné par le travail, ou encore l'argent qui nous est dû, il peut quelquefois signifier une augmentation de salaire au travail ou une promotion, ou encore des comptes à payer. Il indique qu'il faut faire attention aux achats et aux dépenses: certains investissements peuvent être risqués. (2-6-10).

SANTÉ: le foie, le nerf sciatique.

SOIS UNE SOURCE VIVE !

51

AIDE PROVIDENTIELLE AS DES BATONS

MONDE DE L'UNIFICATION

8 DES BÂTONS

(lié aux 3B et ReB – orienteur LA PAPESSE, instructeur LE SOLEIL)

Le 8: gloire et honneur.

Si tu as su traverser les épreuves en maintenant tes aspirations, tu auras gloire et honneur. Garde la flexibilité d'accepter que ton projet se réalise d'une façon différente. La vie va te guider contrairement à ce que tu avais prévu. . . Persévère, tu vas y arriver.

Les efforts pour y arriver. Étape par étape. Axée sur le travail et les obligations. Concerne le comportement sexuel, la Loi, les impôts. Tout ce que l'on donne ou enlève.

Le 8 symbolise les actions positives ou négatives que l'on

fait dans la vie, la volonté et le courage, le pionnier, la fierté, l'organisateur, le chef, le psychologue, le sexologue, la loi et la justice ainsi que le comportement sexuel de l'être, le rythme naissance / vie / mort / renaissance. Il marque la fin d'une chose pour le début d'une autre. Les prêts, les emprunts, l'impôt et les taxes, les héritages, les successions, le chômage, la pension de vieillesse, le bien-être social, etc. sont régis par le nombre 8.

Le 8 des bâtons régit les achats, les ventes, les transactions sur le plan personnel, et quelquefois au niveau commercial. Période de grande activité sexuelle. La passion (prudence face aux MTS). La carrière ou la profession peut prendre une nouvelle orientation, connaître un nouveau développement. C'est le temps de payer ses dettes. (2-6-8).

SANTÉ: attention aux empoisonnements et à vos organes génitaux.

L'amour finit toujours par se tracer un chemin clair à travers les pires épreuves.

52

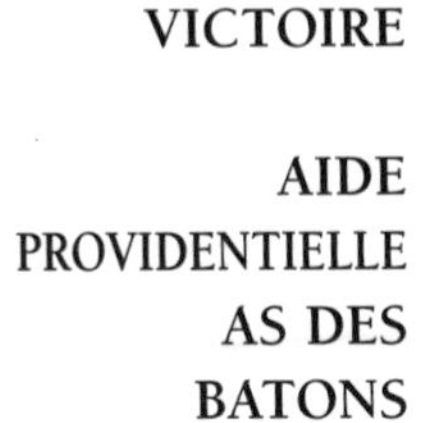
VICTOIRE

AIDE PROVIDENTIELLE AS DES BATONS

MONDE DE L'UNIFICATION

7 DES BÂTONS

(lié aux 2B et ReP -- orienteur L'ERMITE, instructeur LE SOLEIL)

Monde de la victoire. Association ou dissociation avec les autres. Une personne qui arrive à maturité et qui a appris à se foutre de l'opinion d'autrui. Elle est prête à faire face aux ennuis et aux contestations mais elle doit garder son équilibre.

Mots clés: harmonie, beauté, raffinement.

L'essentiel est la relation entre le Divin et l'humain. Les seuls comptes que nous avons à rendre, c'est au Divin. C'est Lui, le plus important. Rencontre, reprise ou rupture (voir le contexte). **Sur le sommet de la vie, vous vaincquerez.**

Le nombre 7 symbolise l'harmonie, l'équilibre, la beauté,

les arts, les associations de tous genres, rencontres, cohabitation, mariage ou le contraire indépendamment des autres lames qui l'entourent, ou s'intéressent aussi àl'art. Période où l'on doit prendre ses responsabilités. Il symbolise aussi la loi du couple.

Le 7 des bâtons représente les efforts sur le plan du travail ou de carrière, en ce sens il indique que l'on agit sur le futur. Le contexte social, notre réputation, seront les garanties de notre avancement ou de notre évolution sur le plan personnel. Il peut également indiquer que le moment est propice pour acheter une maison, la rénover ou encore changer son ameublement mais attention aux dépenses. (2-6-10).

SANTÉ: vos reins. Boire plus d'eau.

«Bienheureux est celui dont l'arbre possède au moins un fruit mûr. Quand le Christ viendra près de vous, vous présenterez votre fruit. Ainsi, il reconnaîtra que vous avez travaillé votre jardin avec amour, que vous avez pioché, arrosé vos arbres fruitiers. Il est dit: «Bienheureux est ce serviteur que le maître à son arrivée trouve en train d'exécuter ce qu'il lui a demandé. Il lui a demandé d'être le porteur de l'Amour et de la Sagesse divine». L'Amour est une chose sacrée, un travail sacré: mieux encore, il est le premier et le plus important travail de l'homme. Il donne un sens à la science, aux connaissances, à l'art, à tout».

Peter Deunov

53

AIDE PROVIDENTIELLE
AS DES BATONS

MONDE DE L'UNIFICATION

6 DES BÂTONS

(lié à l'AS des bâtons et ReP – instructeur LE SOLEIL)

C'est la carte du service dans la Pureté d'intention. C'est la carte du «leader», chef de groupe. Maintiens ton bâton haut (ton projet) mais démontre ta compréhension face aux autres.

La contestation peut être maîtrisé si tu emploies un pouvoir unificateur. Tu amèneras ton projet à terme. Si tu as guéri quelqu'un, rends grâce au Divin car tu n'as été qu'un canal pour lui permettre de guérir un de tes frères. L'Énergie divine s'est servie de toi comme transmetteur.

Monde des guérisseurs, de la médecine douce, de l'écologie.

Attention à l'insécurité.

Le 6 symbolise la loi du travail. Il régit les ouvriers, les travailleurs, les artisans, la médecine naturelle incluant les guérisseurs, les voyants, les médiums, la dextérité manuelle, la pureté, la perfection aussi l'insécurité.

Le 6 des bâtons représente l'artisan, l'ouvrier, le chef, les préposés aux malades, les infirmiers, le comptable, le secrétaire, de façon plus générale le travailleur, cela représente également l'argent gagné par son travail quotidien. (2-6-10)

SANTÉ: c'est souvent psychosomatique. Entretenir vos intestins. Attention aux petits accidents. Prudence.

54

AIDE PROVIDENTIELLE AS DES BATONS

MONDE DE L'UNIFICATION ASSOCIÉ AU MONDE DE LA VERTU

LA REINE DES ÉPÉES MESSAGÈRE

(lié aux 5B et 10B – orienteur LA JUSTICE, instructeur LE SOLEIL)

Pour l'aspect négatif, c'est une personne qui a été critiquée, qui s'est sentie jugé et qui a écouté toutes les langues de vipères.

Au positif, c'est une personne qui est capable de trancher une situation sans écouter les commérages des autres.

Il faut avoir une bonne perception des choses, être bon psychologue. Savoir être indulgente envers soi et envers les autres. Aller de l'avant.

C'est une carte qui peut assurer ou assumer la paix.

Possibilité de voyage, cours, études.

Avocat (e), enseignant (e) .

Les reines symbolisent une femme ou une fille selon l'âge du consultant ou de la consultante. Épouse ou maîtresse, quelquefois la grand-mère ou veuve, divorcée, maternaliste, protectrice, accaparante ou possessive, professionnelle ou mère. Elles n'en sont pas moins diminuées. Peuvent être des confidentes, conseillères ou amantes, prêtes à refaire ou recommencer leur vie. On les retrouve comme gérantes, avocates, médecins, psychologues. Bref, dans tous les domaines professionnels. Elles restent avant tout mères, femmes, maîtresses, amies, conjointes, étudiantes, enseignantes toutes leurs vies.

La reine des épées est une femme intellectuelle ou cérébrale, mais à l'âme d'artiste. Elle peut exercer la profession d'écrivaine, de poète, de danseuse, ou d'enseignante. Pour elle, l'important est la communication, le dialogue, l'harmonie, l'autonomie, l'originalité, la créativité et le raffinement. Si négative: instable, marginale, ambivalente et manque aussi, occasionnellement, de franchise.

SANTÉ: bien dormir, se calmer.

55

AIDE PROVIDENTIELLE AS DES BATONS

MONDE DE L'UNIFICATION ASSOCIÉ AU MONDE DE LA SANCTIFICATION

LA REINE DES COUPES MESSAGÈRE

(lié aux 4B et 9B – orienteur LA TOUR DE DIEU, instructeur LE SOLEIL)

Femme ou homme qui rêve sa vie au lieu de la vivre.

Peur.

Éviter de se faire justice soi-même.

Période de purification et de méditation sur sa vie.

Ne pas avoir peur, ouvrir la coupe et voir que la Vie se vit à chaque instant dans tous les gestes quotidiens faits avec amour. Culpabilisation. Lassitude morale. Dualité en amour. Fleur bleue, très sensible, émotive.

Passer à l'action.

Les reines symbolisent une femme ou une fille selon l'âge du consultant ou de la consultante. Épouse ou maîtresse, quelquefois la grand-mère ou veuve, divorcée, maternaliste, protectrice, accaparante ou possessive, professionnelle ou mère. Elles n'en sont pas moins diminuées. Peuvent être des confidentes, conseillères ou amantes, prêtes à refaire ou recommencer leur vie. On les retrouve comme gérantes, avocates, médecins, psychologues. Bref, dans tous les domaines professionnels. Elles restent avant tout mères, femmes, maîtresses, amies, conjointes, étudiantes, enseignantes toutes leurs vies.

La reine des coupes est une femme d'âge mûr et quelquefois jeune fille. Émotive qui a beaucoup souffert.

Exclusive, protectrice, possessive, rivale ou amie. Quelquefois autodestructrice. Mère de famille ou femme d'affaires, spiritualiste ou prostituée. Artiste ou psychologue, policière, etc. Si elle aime vous serez comblé, mais il vaut mieux ne pas l'avoir comme ennemie ou rivale. Si négative: prostituée, commère, toxicomane.

SANTÉ: avoir des loisirs pour diminuer le stress.

«Savoir être la reine dans le royaume de la pensée, reine dans la pureté des sentiments et reine dans le royaume de la parole qui apaise».

56

AIDE PROVIDENTIELLE AS DES BATONS

MONDE DE L'UNIFICATION

LA REINE DES BÂTONS MESSAGÈRE

(lié aux 3B et 8B – orienteur LA PAPESSE, instructeur LE SOLEIL)

C'est une personne qui a beaucoup de magnétisme et qui voit clair. Ne pas se servir de ce magnétisme pour séduire les autres ni pour les manipuler.

Savoir utiliser ton charme mais pour rayonner et apporter aux autres un peu de chaleur (d'amour).

C'est souvent une femme seule qui veut rencontrer quelqu'un d'aussi fort qu'elle.

Monde des affaires (femme), commerce.

Les reines symbolisent une femme ou une fille selon l'âge du consultant ou de la consultante. Épouseou maîtresse, quelquefois la grand-mère ou veuve, divorcée, maternaliste, protectrice, accaparante ou possessive, professionnelle ou mère. Elles n'en sont pas moins diminuées. Peuvent être des confidentes, conseillères ou amantes, prêtes à refaire ou recommencer leurs vies. On les retrouve comme gérantes, avocates, médecins, psychologues. Bref, dans tous les domaines professionnels. Elles restent avant tout mères, femmes, maîtresses, amies, conjointes, étudiantes, enseignantes toutes leur vie.

La reine des bâtons est une femme qui a beaucoup de magnétisme, travaillante, débrouillarde, économe, ce peut être une professionnelle mais capable aussi de travaux à la maison. Elle a du talent comme infirmière, médiumnité, guérisseuse. Elle représente un besoin de sécurité. Elle est aussi fidèle à ceux qu'elle aime, à sa famille. Si libre, veuve ou divorcée, veut refaire sa vie. Si négative: insécure, entêtée, jalouse, despote.

SANTÉ: s'en occuper. Mieux manger. Faire de la marche, du yoga, etc.

57

AIDE
PROVIDENTIELLE
AS DES
BATONS

MONDE DE
L'UNIFICATION
ASSOCIÉ
AU MONDE
DE LA
SPIRITUALITÉ

LA REINE DES PENTACLES MESSAGÈRE

(lié aux 2B et 7B -- orienteur L'ERMITE, instructeur LE SOLEIL)

C'est une personne raffinée, connaissante, compréhensible hors du commun mais qui a été déçue des autres, et qui a vécu des tristesses. Conseillère au niveau affectif, une confidente. Il ne faut pas rester prise dans l'échelle sociale. Il faut redevenir vraiment soi-même et s'ouvrir à la vie dans l'action. La passivité gonfle les problèmes et n'arrange rien du tout. Il faut saisir la chance, l'initiateur passe. Une activité créatrice dans le service aux autres. Il y a de la grandeur dans cette personne obtenue par une longue souffrance. Attention aux commérages, à la médisance.

Les reines symbolisent une femme ou une fille selon l'âge

du consultant ou de la consultante. Épouse ou maîtresse, quelquefois la grand-mère ou veuve, divorcée, maternaliste, protectrice, accaparante ou possessive, professionnelle ou mère. Elles n'en sont pas moins diminuées. Peuvent être des confidentes, conseillères ou amantes, prêtes à refaire ou recommencer leur vie. On les retrouve comme gérantes, avocates, médecins, psychologues. Bref, dans tous les domaines professionnels. Elles restent avant tout mères, femmes, maîtresses, amies, conjointes, étudiantes, enseignantes toute leur vie.

La reine des pentacles est une femme raffinée, intelligente, compréhensive, une femme qui cherche l'amour, recherche l'âme soeur. Elle peut être séparée, divorcée ou veuve et vouloir refaire sa vie. Cela peut représenter une période de loisirs: des vacances ou des voyages. Représente également un retour aux études ou le désir de travailler à son compte. Enfin, cela peut représenter quelqu'un en quête d'une vie plus spirituelle. Si négative: jouisseuse, profiteuse, snob, orgueilleuse.

SANTÉ: savoir aimer, se respecter, être doux et humble de coeur: la meilleure médecine pour votre coeur.

«La souffrance est le chemin de l'Amour. C'est le filtre de toutes nos pensées, de nos sentiments et de nos actions. Ceux qui ont souffert sont plus beaux que ceux qui n'ont pas souffert. Le visage des premiers reflète une ineffable douceur. La souffrance est le premier signe de la Main Bénie qui travaille sur l'homme et le redresse, le rend grand. Dès que l'homme souffre, il commence à penser et à construire. L'Homme de l'Amour est grand et puissant au ciel comme sur la terre. Les souffrances sont le chemin de la délivrance. Elles chassent le mal du coeur. Elles sont le fouet de la Bénédiction, un stimulant pour l'élévation».

Peter Deunov

58

AIDE PROVIDENTIELLE
AS DES BATONS

MONDE DE L'UNIFICATION

L'ERMITE
3° ORIENTEUR
(lié aux 2B et 7B -- instructeur LE SOLEIL)

L'homme en méditation. Le maître. L'instructeur. Pouvoir d'analyse. Idée de protection et de sécurité.

Un sage doit éclairer les autres. Juge. Personne âgée. Période de sagesse et de maturité à atteindre. Celui qui vit en solitaire mais en grande union avec le Divin. Une personne sage, très vieille dans son intelligence parce qu'elle a vécu beaucoup d'expériences qui lui ont appris beaucoup, très jeune dans son coeur parce qu'elle a su garder son pouvoir d'émerveillement. Régit le gouvernement, les autorités, les ministres, députés, etc.

Période où on doit être sage pour apprendre à suivre son intuition, son étoile. Chaque expérience est une étape à franchir et à approfondir. Continuer à faire le lien avec le Divin et comprendre que de nouvelles connaissances sont nécessaires. L'isolement et l'abstinence sexuelle peuvent aider à comprendre que ce vide n'est apparent que pour les autres puisque lui sait que le Ciel est en train de déverser en lui des forces inouies. Période excellente pour la concentration, la patience, la discrétion, l'intégrité, l'autorité, la méditation. Cet arcane désigne le gourou, l'instructeur et le maître en devenir. Côté négatif: l'avarice, la méfiance, la solitude, l'ascétisme.

SANTÉ: représente le système immunitaire, le dos, la colonne, les os. Ne pas trop s'isoler.

Particularités étonnantes du 9: ....

0 x 9 + 1 = 1

1 x 9 + 2 = 11

12 x 9 + 3 = 111

123 x 9 + 4 = 1111

1234 x 9 + 5 = 11111

12345 x 9 + 6 = 111111

123456 x 9 + 7 = 1111111

1234567 x 9 + 8 = 11111111

12345678 x 9 + 9 = 111111111

123456789 x 9 + 10 = 1111111111

59

AIDE
PROVIDENTIELLE
AS DES
BATONS

MONDE DE
L'UNIFICATION

LA TOUR
4° ORIENTEUR
(lié aux 4B et 9B – instructeur LE SOLEIL)

KARMA À ÉPURER

Les épreuves (vies passées?). **La nuit de l'âme.** Pour la terminer, redevenir l'amour. Avoir foi en soi.

S'abandonner dans le divin.

Changement de projets. Déception, projets avortés. Ne pas s'entêter, bien réfléchir.

Tout s'effondre devant nous. Jusqu'ici le developpement de la conscience s'est produit à l'intérieur de nous. Maintenant, un événement se produit qui remet en question tout le destin et toute la vie extérieure. C'est l'effondrement de toutes nos richesses matérielles, de nos rêves. Le Divin éprouve notre solidité. Avec la tour tout est soudain et imprévu. Exemple: accidents possibles, maladies subites, découragement et idées noires.

Prendre conscience de notre foi, même si c'est difficile. Cette carte nous appelle à un dépassement. Il faut savoir comprendre qu'il y a une puissance supérieure à celle des hommes et que cette puissance peut nous enlever ce qu'elle nous avait prêté. Perte de nos biens ou d'un être cher. Faillites dûes souvent à notre négligence ou abus. Savoir que tout passe et que demain sera meilleur.

Cet arcane peut nous rapprocher de la nuit mystique. Fusion totale avec le divin. L'ipséite dans l'ipséite. De l'unique à l'unique.

SANTÉ: vigilence et sérénité éviteront l'hypertension ou l'hypotension.

On bâtit à coup de millions des abris nucléaires sans penser qu'un seul tremblement de terre voulu par la puissance Divine, pourrait anéantir tout ce que les hommes ont construit. Si l'homme voulait se bâtir lui-même, c'est-à-dire travailler à acquérir la douceur, l'humilité, l'amour, la sagesse, la bonté, l'honnêteté, la patience... Même si son véhicule physique (son corps) disparaissait, son âme s'envolerait parée de belles couleurs des vertus qu'elle a fait mûrir.

60

AIDE PROVIDENTIELLE AS DES BATONS

MONDE DE LA VERTU

LE PAPE

1° ORIENTEUR

(lié aux 3P et RoB -- instructeur CHARIOT)

Carte de l'obéissance. Tu as en toi les ressources pour t'en sortir ou conseiller qui va t'en parler. Instructeur, conseiller, gourou, comptable, gérant de banque, etc.

Mots clés: enseignement, beauté, compassion, indulgence et miséricorde.

C'est un pont intermédiaire entre le Divin et l'humain. Se reconnaître comme un disciple, comme une parcelle du Divin et être prêt à servir, à répondre à l'appel intérieur et à s'abandonner. **La grâce et l'Amour Divin qui nous pénètrent.** Chaque geste, chaque parole fait avec amour devient une fleur qui embaume.

Se rappeler l'aspiration, les trois niveaux. Premier chakra: illumination, épanouissement, corps causal, accès à la mémoire akachique. Sublimer les énergies, abandon total. On a franchi l'étape de la Tour de Dieu: les niveaux physique, émotionnel et mental sont maîtrisés. C'est souvent les épreuves qui font évoluer l'être humain.

Les initiés nomment le chiffre 5, **le nombre du Christ**, ou le **nombre du verbe**. Le nombre Divin de l'accomplissement, de la création est le nombre 10. La moitié est 5. La symétrie dans le corps humain signifie que le Logos partage le nombre divin 10 en deux parties égales et que, dans chacune d'elle, c'est la moitié du nombre 10 qui est agissante, soit 5. A chaque main, nous avons 5 doigts. De même que nous avons 2 fois 5 orteils. Les 5 sens, les 5 extrémités du corps.

Symbolise les religieux, les spiritualistes, les hauts emplois, les grandes entreprises, les banques, les caisses populaires, les contracteurs, les économistes, les comptables, etc.

SANTÉ: méditation, respiration, abnégation.

L'homme est construit sur une échelle à 5 branches et le courant circule dans le corps humain suivant le schéma de cette étoile.

61

MORT DE L'HOMME ROBOT

AIDE PROVIDENTIELLE AS DES PENTACLES

ÂME ÉVEILLÉ ÉVEIL DE LA CONSCIENCE

MONDE DE LA SPIRITUALITÉ

LE JUGEMENT
2° ORIENTEUR
(lié aux 4P, 9P et RoC -- instructeur CHARIOT)

Carte de la restauration et de la reconstruction.

Mort de l'ancien moi. Naissance du nouveau moi. On a appris à mourir, on n'a plus peur. C'est la renaissance. C'est la transformation. L'homme arrivé à cet échelon doit juger ses pensées, ses paroles et ses actes et laisser s'exécuter le jugement. Ce n'est pas un Dieu étranger à lui qui le juge, il est celui qui prononce le jugement contre lui-même.

Exemple: en maison VII = nouvel amour.

Seconde chance qui nous est donnée. Il faut la prendre avec toute la sincérité de notre coeur. Personne qui revient après un coma, une opération, un accident, des idées suicidaires. Peut ouvrir les chakras de la voyance, de la médiumnité.

La Providence intervient pour nous donner une aide. Vis-à-vis des autres, se souvenir que plus nous jugeons, moins nous aimons. Symbolise la nature, la vie, le bonheur la vérité, la franchise.

SANTÉ: la vie est un don précieux. On peut toujours se relever et se sortir de ses peurs et de ses culpabilités.

«Le seul jugement qu'il nous soit permis de faire est celui sur nous-mêmes. Savoir peser notre actif, notre passif avec toute la simplicité d'un enfant et repartir en étant conscient que la Vie est cette échelle de Jacob que nous devons gravir pour retrouver notre unité primordiale».

62

AIDE PROVIDENTIELLE AS DES PENTACLES

MONDE DE LA SPIRITUALITÉ

LE CHARIOT

2° INSTRUCTEUR DU MONDE DE LA SPIRITUALITÉ
(lié à l'AS des P)

Le 7: entente harmonieuse du couple. Recherche de l'âme soeur. Accès et ouverture à la connaissance des lois cosmiques.

Le monde de la sagesse. Le Christ cosmique.

La réalisation de notre mission sans nous laisser détourner. Garder notre itinéraire n'allant pas à droite ni à gauche, tiens la barque sur la bonne route. Apprendre à maîtriser les deux tendances, les forces contraires yin et yan.

Accepter la joie mais aussi la tristesse. Être le miroir impeccable de ce que nous sommes intérieurement.

La connaissance de soi amène la responsabilité. Dès que l'on sait, on devient responsable. L'homme à cet échelon comprend que tout vient de Dieu et il devient humble.

Invitation à se transformer. Selon le contexte, réputation, les transports, la technologie, voyages, l'étranger. Régit les transports (auto, avion, etc,).

Carrière, changement. Une poussée intensive nous porte toujours plus en avant. Concerne la technologie, le travail autonome, le commerce, la recherche. Si négatif: l'avidité, la vanité, l'arrogance, l'orgueil, l'égocentrisme. Gros travail à faire sur soi-même.

SANTÉ: prudence sur tous les plans.

63

LA VIE EST
MOUVEMENT

AIDE
PROVIDENTIELLE
AS DES
PENTACLES

LA VIE EST
AMOUR

MONDE
DE LA
SPIRITUALITÉ

5 DES PENTACLES

**(lié aux 10P et RoÉ--orienteur LE FOU,
instructeur CHARIOT)**

Mot clé: discipline

Tu connais la vérité et tu ne veux pas rentrer dans le temple du coeur. Tu refuses la Lumière. Vis ce que tu as le droit de vivre et cesse de quêter à droite et à gauche

Il y a beaucoup d'insécurité dans les amours et pour les enfants.

S'il y a des enfants, difficultés d'entente. Attention à l'amour propre. La carte représente des gens handicapés qui ne comprennent rien.

Il faut bouger, faire quelque chose afin de voir clair pour vivre plus heureux.

Le 5 symbolise la loi de l'amour dans la joie, la non-possessivité, la chaleur et non l'égoïsme, l'orgueil etc. Représente l'être aimé, les enfants issus de l'Amour conventionnel (mariage). Régit les jouissances, les loisirs, distractions, vacances, les jeux de hasard, les spéculations, les affaires, les chefs d'entreprises, organisation et planification de la vie matérielle et spirituelle. Le 5 peut annoncer une naissance future.

Le 5 des pentacles représente les gens qu'on aime; les loisirs, les distractions, les vacances, les voyages, l'amour universel aussi. Il indique également de faire attention à l'orgueil. Il régit les chefs d'entreprises, les affaires. (1-5-9).

SANTÉ: le dos, le coeur (peine d'amour), la tension artérielle. Apprendre le détachement.

64

AIDE PROVIDENTIELLE AS DES PENTACLES

MONDE DE LA SPIRITUALITÉ

4 DES PENTACLES

(lié aux 9P et RoC -- orienteur LE JUGEMENT, instructeur LE CHARIOT)

Monde de la miséricorde.

Véritable prise de conscience sur nos possibilités. Bien se brancher les deux pieds sur terre et les pensées bien claires (un peu de rêverie, il faut revenir sur terre).

Couper le cordon ombélical et tenir à ses opinions.

Être disponible mais ne pas aller au bout de ses forces.

Avoir les deux pieds sur terre (être réaliste), la tête dans le ciel (se lier au monde divin) et le coeur au centre pour fusionner en nous les deux mondes (matériel et spirituel) sont les conditions, d'une excellente réalisation de soi.

Carte de déménagement. Période où l'on songe à couper avec la famille ou le passé. Attention aux mirages du monde familial et professionnel.

Tous les nombres 4 sont reliés symboliquement à la famille, au père en particulier, aux émotions familiales, au public, au foyer, sa maison, la parenté, aux commérages et à la médisance.

Le 4 des pentacles est relié à la relation affective avec le père, quoique ça puisse également englober de façon plus générale les relations affectives avec la famille, prise dans son sens le plus large. Cela représente aussi la possibilité d'un déménagement dans une autre ville, voir dans un autre pays (peut-être pour des raisons amoureuses ou peut-être simplement par goût de l'aventure. Il symbolise aussi les spéculations, soit dans les affaires familiales ou les affaires commerciales. (1-5-9).

SANTÉ: l'estomac = émotions.

65

LIRE LE BEAU

DANS LE COEUR DE L'AUTRE

AIDE PROVIDENTIELLE AS DES PENTACLES

MONDE DE LA SPIRITUALITÉ

3 DES PENTACLES

(lié aux 8P et RoB – orienteur LE PAPE, instructeur LE CHARIOT)

Mots clés: compréhension et communication.

C'est le temps de communiquer et d'être compréhensif vis-à-vis les frères, les soeurs, l'entourage.

C'est aussi un temps pour apprendre afin de pouvoir transmettre aux autres.

Les guides sont là pour apporter leur assistance.

Le 3 peut aussi amener de l'instabilité.

Recherche de l'âme soeur. Cours, études, enseignement, etc.

Commerce, les écrits.

Joie de l'échange des connaissances. L'amitié joue un rôle important.

Tous les 3 au niveau du symbolisme sont reliés à la communication, les dialogues, les écrits, les démarches, les frères, les soeurs, le voisinage, à l'intellect, la cérébralité, à l'intelligence et aux niveaux de la conscience.

Le 3 des pentacles est relié à la réflexion, à l'action, aux communications sentimentales (aux échanges ou partages), soit avec l'être aimé soit avec l'entourage. Parfois, il se rapporte directement à des «papiers», comme des signatures de contrats. Il signifie aussi des déplacements et est en relation avec des relations favorables ou défavorables avec les frères et soeurs. Il régit également le système nerveux, en ce sens, il renseigne sur les actions précipitées et les erreurs de jugement. (1-5-9).

SANTÉ: avoir un bon raisonnement aide à calmer notre système nerveux.

66

ÊTRE JUSTE

C'EST S'AJUSTER AUX LOIS DU CIEL

AIDE PROVIDENTIELLE AS DES PENTACLES

MONDE DE LA SPIRITUALITÉ

2 DES PENTACLES

(lié aux 7P et RoP -- orienteur LE MONDE, instructeur LE CHARIOT)

Monde de la sagesse.

Il faut savoir s'ajuster aux situations sans résistance. Tout est possible.

Suivre le courant de son inspiration toujours avec amour.

Il faut être capable de dire ce que l'on pense et mettre ses cartes sur table.

Ne pas prétendre savoir quand on ne sait pas et ne pas se taire quand on sait.

Réfléchir avant d'agir. La nuit porte conseil, il y a des choix à faire.

Équilibre à atteindre au niveau, de ses avoirs. La clé de la compréhension de la loi du détachement régit le couple. Nourriture spirituelle et matérielle.

Le nombre 2 au niveau du symbolisme, quelque soit son élément ou sa couleur est toujours associé aux biens personnels, à l'argent gagné à la sueur de notre front. La naissance d'un enfant peut aussi survenir, entrant dans les biens spirituels ou acquisitions. Il est aussi relié aux achats et aux dépenses, concernant le bien-être personnel comme: maison, nourriture, effets personnels, etc. et aussi comment l'on partage au niveau du couple.

Le 2 des pentacles est relié à l'argent gagné par nos efforts, nos initiatives, travail ou encore grâce à la chance (loterie, pari, spéculation). Il concerne également l'amour du couple, ou l'orgueil et l'égoïsme, voire l'égocentrisme.

SANTÉ: la gorge, la glande thyroïde.

67

AIDE PROVIDENTIELLE AS DES PENTACLES

MONDE DE LA SPIRITUALITÉ

AS DES PENTACLES
(4° aide providentielle du monde de la SPIRITUALITÉ (les pentacles)
(lié à l'instructeur LE CHARIOT)

Le monde du zèle.

Mots clés: sagesse, action, service.

La main divine qui nous apporte **l'illumination**. Il nous est permis **d'avoir accès à la Gnose**. Le discernement accompagne nos actions. Être zélé en toutes choses et travailler en harmonie avec la nature. Tout projet peut aboutir au bien et apporter le succès et le contentement. Monde matériel: concerne l'argent, attention aux illusions.

Les 4 AS symbolisent une aide providentielle qui est à notre disposition si on demande de l'aide, des conseils, soit de parents, d'amis, de personnes influentes. Dans certaines situations, une seconde chance nous est donnée. Peut aussi signifier une période où l'on rêve sa vie plutôt que de la vivre. L'idéalisme peut frôler l'utopie.

L'AS des pentacles concerne nos amours, conjoints ou futurs conjoints. Il peut annoncer une grossesse ou une naissance (très souvent), ou encore un voyage inespéré ou des études en ésotérisme. L'aide est vraiment du côté des amours et pour certains, des enfants. Concerne aussi les rentrées d'argent inattendues, chance à la loto, les coups de chance de toutes sortes. Si négatif: c'est-à-dire «mal entouré»: grosse perte d'argent, dépense, achat ou vente qu'on regrette, abus, excès.

SANTÉ: concerne l'âme.

Quelle joie pour l'âme de savoir que malgré tous les nuages sur notre ciel, que le Christ est là pour nous tenir la main.

68

AIDE PROVIDENTIELLE AS DES PENTACLES

MONDE DE LA SPIRITUALITÉ

10 DES PENTACLES

(lié aux 5P et RoÉ -- orienteur LE FOU, instructeur LE CHARIOT)

Mots clés: prospérité, richesse abondance, succès.

C'est une carte d'abondance matérielle et spirituelle.

Peut-être un tournant dans la carrière. Promotion, augmentation de salaire.

Un plus grand zèle du côté spirituel. Les matières familiales en avant, gains, richesse et bonheur.

Attention aux excès. Maturité et sagesse. Période de leadership à assumer.

Le nombre 10 symbolise le milieu social où l'on vit, la parenté (la mère en particulier), l'autorité, le gouvernement, le patron, la carrière ou la profession, la réputation, la sagesse, la maturité, le pays ou la ville où l'on vit. Concerne les immeubles les assurances, les comptables, les personnes âgées, les grands-parents.

Le 10 des pentacles représente la sagesse, la maturité sur le plan des sentiments vis-à-vis ceux que l'on aime. Il peut représenter une période où l'on pense aller vivre temporairement à l'étranger. Il peut aussi indiquer une promotion, un changement de travail pour un autre plus rémunérateur, ou encore des gains provenant des affaires (ou du commerce). Parfois, il peut indiquer un retour aux études mais en relation avec une nouvelle orientation professionnelle. (1-5-9).

SANTÉ: ne pas abuser, le système immunitaire. Les os, la colonne vertébrale (mieux s'asseoir)

SOIS EN ÉVEIL... À L'AMOUR

69

AIDE
PROVIDENTIELLE
AS DES
PENTACLES

MONDE
DE LA
SPIRITUALITÉ

9 DES PENTACLES

(lié aux 4P et RoC -- orienteur LE JUGEMENT, instructeur LE CHARIOT)

C'est un appel à vivre une introspection en soi, une retraite, une méditation intérieure.

Un voyage, une fête particulière, un accueil.

Vivre peut-être un sentiment de solitude mais dans la plénitude.

Pensez à l'escargot qui a l'air bien insignifiant, mais qui joue un rôle important dans le jardin de la vie: il nettoie tout sur son passage et y laisse la lumière.

Être bon avec soi. Tu as été capable d'apprendre à donner à ta façon à toi.

Jugement, prudence, sécurité et succès seront développés grâce à la certitude. Quelqu'un qui a beaucoup oeuvré et qui est maintenant bien dans sa peau. Cours, études, enseignement, l'étranger. Nouvelles amitiés et nouvelles associations.

Le nombre 9 symbolise le protecteur, le parrain, le distributeur de richesses spirituelles et matérielles. C'est l'argent que l'on va recevoir, venant de toutes sortes de sources, loteries, travail, gains, héritage. Il régit les sports, les voyages, les étrangers incluant les belles-soeurs et les beaux-frères. Ésotérique. Régit la générosité, la courtoisie, quelquefois l'autoritarisme ou «Ti-Jos» connaissant.

Le 9 des pentacles peut signifier un retour aux études, ou un voyage à effectuer. Ce peut être aussi une rencontre sentimentale. Il peut également indiquer une rentrée d'argent inattendue, peut-être le remboursement d'une dette, des hautes études ésotériques ou spirituelles.

SANTÉ: le foie et le nerf sciatique. Attention à la pléthore.

70

AIDE
PROVIDENTIELLE
AS DES
PENTACLES

MONDE
DE LA
SPIRITUALITÉ

8 DES PENTACLES

(lié aux 3P et RoB – orienteur LE PAPE, instructeur LE CHARIOT)

Mots clés: gloire et honneur.

Tu es le propre artisan de ta vie. Ne te laisse pas troubler par tes échecs passés et à venir. **Sois impeccable.**

Tu es dans un stage de préparation. Il faut donc semer, façonner pour ta vie spirituelle. Tu auras un jour, la récompense pour les efforts déployés. Il y a encore des choses à faire. Par le travail, tu t'assures une sécurité.

Le 8 symbolise les actions positives ou négatives que l'on fait dans la vie, la volonté et le courage, le pionnier, la fierté, l'organisateur, le chef, le psychologue, le sexologue, la loi et la justice ainsi que le comportement sexuel de l'être, le rythme naissance / vie / mort / renaissance. Il marque la fin d'une chose pour le début d'une autre. Les prêts, les emprunts, l'impôt et les taxes, les héritages, les successions, le chômage, la pension de vieillesse, le bien-être social, etc. sont régis par le nombre 8.

Le 8 des pentacles représente les efforts que l'on fait sur le plan professionnel pour s'assurer une sécurité matérielle. On est l'artisan de son travail et de sa vie. Ici, c'est quelqu'un qui se préoccupe du bien-être de ceux qu'il aime; il pense au futur. Ça signifie peut-être aussi l'achat de la maison de ses rêves ou encore la sécurité de l'enfant à naître. Dans tous les cas on est prévoyant, mais il importe d'en faire autant en ce qui concerne sa vie spirituelle.

SANTÉ: la prostate, la vessie et les organes sexuels.

71

AIDE
PROVIDENTIELLE
AS DES
PENTACLES

MONDE
DE LA
SPIRITUALITÉ

7 DES PENTACLES

(lié aux 2P et RoP -- orienteur LE PAPE, instructeur LE CHARIOT)

Comment cela va aboutir?

Victoire en P.

Victoire sur nos illusions par l'accès aux causes internes. C'est nous avec notre action. Il semble qu'il manque quelque chose.

Un fruit (notre pensée) est en train de mûrir mais n'a pas encore atteint son plein potentiel. On veut vivre deux choses à la fois, mais il ne faut rien brusquer. Laissons le temps faire mûrir les choses.

Il y a beaucoup de choses encore à accomplir. Ne pas s'arrêter.

Carte d'équilibre et d'harmonie à atteindre à travers nos rencontres, nos associations et ceux qu'on aime. Aussi, reprise ou séparation. Régit les associations.

Le nombre 7 symbolise l'harmonie, l'équilibre, la beauté, les associations de tous genres, rencontres, cohabitation, mariage ou le contraire selon les autres lames qui l'entourent, ou s'intéressent aussi à l'art. Période où l'on doit prendre ses responsabilités. Il symbolise aussi la loi du couple.

Le 7 des pentacles représente les efforts que l'on fait sur le plan matériel, mais aussi sur le plan spirituel. Indique l'interrogation. Pour certains, il pourra signifier une association, tant sur le plan personnel que professionnel. Parfois, il peut représenter une remise en question du couple. (1-5-9).

SANTÉ: à chaque saison, bien nettoyer vos reins en buvant mieux (ni trop froid, ni trop chaud).

72

SOURIRE

AIDE
PROVIDENTIELLE
AS DES
PENTACLES

SOURIRE

MONDE
DE LA
SPIRITUALITÉ

6 DES PENTACLES

(lié aux 2P et RoP -- orienteur LE PAPE, instructeur LE CHARIOT)

La beauté en pentacles.

C'est la carte du service par excellence mais jamais dans la servitude.

Pour venir en aide à certaines personnes, il est très important d'être en équilibre, en harmonie avec soi-même afin d'être capable de les aider par notre sourire, notre foi, nos paroles.

Ne jamais montrer notre mépris, notre pitié. Amélioration au travail ou changement profitable.

Le 6 symbolise la loi du travail. Il régit les ouvriers, les travailleurs, les artisans, la médecine naturelle incluant les guérisseurs, les voyants, les médiums, la dextérité manuelle, la pureté, la perfection aussi l'insécurité.

Le 6 des pentacles représente le guérisseur, les médecines naturelles, le voyant ou le médium, représente aussi la générosité, le service rendu par choix et non par obligation. (11-5-9).

SANTÉ: nettoyage de vos intestins. Évitez les gaucheries causant les accidents surtout dans vos moments d'insécurité.

Dans l'amour véritable il n'y a que le partage du meilleur.

73

AIDE
PROVIDENTIELLE
AS DES
PENTACLES

MONDE
DE LA
SPIRITUALITÉ

LE ROI DES ÉPÉES
MESSAGER

(lié aux 5P et 10P -- orienteur LE PAPE, instructeur LE CHARIOT)

Le vertueux dans le zèle.

Un ami, un associé, etc. qui agit comme un juge.

Il sait trancher dans l'action. Rigoureux, impeccable, discipliné, il ne se laisse pas influencer. Il a beaucoup de jugement un bon coeur, mais il doit être capable de trancher avec les gens vulgaires. Ce sera sans doute un peu douloureux et triste mais il faut le faire pour retrouver sa paix intérieure. Surtout, ne pas se laisser manipuler (par un employé).

Tous les rois symbolisent ou représentent un orienteur, un

professionnel, un protecteur, un ami ou ennemi, l'autorité, la sagesse, la maturité, l'intégrité ou l'autoritarisme, la rigueur, la dictature, le juge, le conjoint, le mari ou l'amant plus âgé que nous.

Le roi des épées symbolise un intellectuel, un cérébral, un personnage plus âgé, intelligent, astucieux, rusé, ambivalent et versatile qui recherche l'aventure ou l'âme soeur. Cela peut représenter un commerçant ou un travailleur autonome; quelqu'un d'original, de non-conventionnel, voire de marginal, peut-être un artiste ou une personne liée au domaine des arts. Indépendamment de sa vie professionnelle, c'est quelqu'un de très autonome, quelqu'un qui aime sa liberté. Si négatif: menteur, indécis, marginal.

SANTÉ: prudence en auto. Attention à l'hypertension ou l'hypotension.

74

AIDE
PROVIDENTIELLE
AS DES
PENTACLES

MONDE
DE LA
SPIRITUALITÉ
ASSOCIÉ AU
MONDE DE LA
SANCTIFICATION

LE ROI DES COUPES

(lié aux 4P et 9P -- orienteur LE JUGEMENT, instructeur LE CHARIOT)

C'est la corne d'abondance.

Le monde de la sanctification.

C'est une personne qui apporte la richesse (matérielle, physique, mentale). Il suffit de tenir la coupe en équilibre et de voir clair pour ne pas que les gens nous prennent notre coeur. Ne pas toujours dire oui.

Recevoir pour être capable de transmettre l'énergie.

C'est une grande abondance.

Personne bonasse, émotionnelle, incapable de dire non.

Tous les rois symbolisent ou représentent un orienteur, un professionnel, un protecteur, un ami ou ennemi, l'autorité, la sagesse, la maturité, l'intégrité ou l'autoritarisme, la rigueur, la dictature, le juge, le conjoint, le mari ou l'amant plus âgé que nous.

Le roi des coupes symbolise un homme plus âgé, un veuf, un divorcé, ou parfois un homme de «sécurité». Il peut aussi représenter un gynécologue, un psychologue ou un sexologue. Ce peut être un confident, un ami, un proche qui aura tendance à être paternaliste. C'est quelqu'un qui veut faire sa vie et cherche une compagne (s'il ne l'a pas déjà) qui lui ressemble. Si négatif: quelqu'un qui a beaucoup souffert et qui doit se méfier de tout ce qui touche la toxicomanie (c'est-à-dire alcool, tabac, drogue, pilules, etc.).

SANTÉ: ne pas abuser au niveau des médicaments à prendre. Bien nettoyer la prostate.

75

AIDE
PROVIDENTIELLE
AS DES
PENTACLES

MONDE
DE LA
SPIRITUALITÉ
ASSOCIÉ AU
MONDE DE
L'UNIFICATION

LE ROI DES BÂTONS

(lié aux 3B et 8B -- orienteur LE PAPE, instructeur LE CHARIOT)

Carte de l'unification dans l'harmonie.

Carte du chef, du leader. Comptable, l'associé, le patron, l'ami, le conseiller.

Celui qui peut avoir une vision claire sur toutes les situations et qui sait motiver les autres. C'est un homme de force et de détermination. C'est pourquoi, on a besoin de ses services.

Prendre les choses en main avec courage. T u as accompli un cycle mais va de l'avant. Les choses avanceront pour toi.

Le roi des bâtons symbolise une autorité, un gouvernement, un patron, un comptable; il peut aussi représenter un homme d'affaires riche, un commerçant ou un professionnel, quelqu'un de persévérant, d'ambitieux, de travailleur, d'entêté mais sur lequel vous pouvez compter. Sauf exception, il est fiable et stable; il est discipliné et parfois même sévère. Il peut représenter un conseiller en affaires, un comptable ou un banquier. Si négatif: receleur, fraudeur ou jaloux, insécure, dictateur.

SANTÉ: attention à l'embonpoint. Ne pas abuser de ses forces.

76

AIDE
PROVIDENTIELLE
AS DES
PENTACLES

MONDE
DE LA
SPIRITUALITÉ

LE ROI DES PENTACLES

(lié aux 2P et 7P -- orienteur LE MONDE, instructeur LE CHARIOT)

Zélé dans le zèle.

Personne (homme ou femme) très riche, talentueuse, disponible, leader, grande paix intérieure et un grand pouvoir. Cette personne a su vaincre son égo. Son problème, c'est de vouloir être aimé pour ce qu'il est et non pour sa disponibilité.

Tu as de grands pouvoirs que tu dois transmettre aux autres sans arrogance. Accepte ta position avec beaucoup d'humilité et ne demande rien en retour. Donner doit être un plaisir. Personne qui donne pour recevoir. Va te faire faire de l'argent si, lui peut en faire encore plus. C'est un genre profiteur, se méfier.

Tous les rois symbolisent ou représentent un orienteur, un professionnel, un protecteur, un ami ou ennemi, l'autorité, la sagesse, la maturité, l'intégrité ou l'autoritarisme, la rigueur, la dictature, le juge, le conjoint, le mari ou l'amant plus âgé que nous.

Le roi des pentacles symbolise un personnage plus âgé, cheveux châtain clair, blonds ou blancs. Il est habituellement indépendant, talentueux, à l'aise. Il peut représenter un ami de coeur, un avocat. Il se présente comme le protecteur. Il peut aussi signifier une invitation à voyager avec cet homme. Pour un homme, c'est la représentation d'une rencontre ou d'une vie affective comblée, la naissance d'un enfant ou petit-enfant, ce sont des gains ou de l'argent qui peuvent être avancé. Il représente la chance. Il peut également représenter un conseiller spirituel. Si négatif: homme orgueilleux, vaniteux, jouisseur.

SANTÉ: attention à la pléthore et au foie.

77

AIDE
PROVIDENTIELLE
AS DES
PENTACLES

MONDE
DE LA
SPIRITUALITÉ

LE MONDE
3° ORIENTEUR
(lié aux 2P et 7P – instructeur LE CHARIOT)

Monde de l'harmonie

C'est une fusion dans l'AMOUR infini (homme, femme). C'est un être qui s'est réalisé et qui vit vraiment en accord avec l'humain et le Divin. C'est l'équilibre entre les sens et l'esprit. Il a répondu aux trois grandes questions: qui suis-je? d'où je viens? pour aller vers quoi? Il assume et se réalise de plus en plus.

Réussite, voyage, réalisation dans la grandeur. Besoin de liberté. Association affective ou commerciale. Fusion entre l'âme-corps ou fusion du couple.

Tu as le monde à tes pieds. Action vers la famille, la

parenté, le public, la foule. Adulation, honneur, réussite en cette période. Concerne les sciences ésotériques, spécialement le tarot.

Grande couronne verte: *l'espace cosmique infini.*

Les 4 signes zodiacaux: *le lion, le taureau, de l'ange, de l'aigle.*

Les 4 évangélistes furent apparentés à ces signes: le lion avec Marc, le taureau avec Luc, l'ange avec Mathieu et l'aigle avec Jean.

78

AIDE PROVIDENTIELLE
AS DES PENTACLES

MONDE DE LA SPIRITUALITÉ

LE FOU
4° ORIENTEUR
(lié aux 5P et 10P -- instructeur LE CHARIOT)

L'ACTE SUPRÊME

La manifestation de l'esprit dans la matière reste un acte d'amour. Le Fou, c'est le Christ en soi. C'est l'accès à l'Amour. L'essentiel, c'est la rose. Ne pas s'attarder aux épines. L'Amour n'est pas toujours facile... Avoir foi et confiance en la vie et aux autres. Se brancher sur le Divin... Rien ne peut arriver de négatif si le ciel est avec nous. Période d'abandon de l'égo.

C'est peut-être le fou en nous. Lequel veux-tu être? Le Christ ou le diable en nous.

Ne pas aller vers les illusions, vers l'excentricité. Le baluchon indique qu'il y a toujours en nous quelque chose à purifier. Il faut savoir renaître, avancer avec tout ce qu'il y a de meilleur en nous. Dans la foi, il faut inclure la patience, la sagesse et le respect.

Plume rouge sur la tête: *symbole de victoire.*

Rose blanche: *spiritualité dans l'action.*

Les sacrifices apportent leur propre récompense. Le meilleur est au-dedans de chacun de nous. Sachons dépasser nos propres limites. La peur est maîtrisée. La paix de l'âme, le respect de la nature et de l'humanité transcendent en nous.

Quand on sort le Fou, la carte 78 représente la personne qui est devant nous.

LES LOIS

Les 12 états de la conscience, les 12 lois cosmiques:

1. loi de l'action amoureuse
2. loi du détachement
3. loi de la conscience, de l'intelligence
4. loi familiale du groupe - Le Père
5. loi de l'amour
6. loi du travail
7. loi du mariage
8. loi de la procréation
9. loi de la diffusion
10. loi de la sagesse et de l'intégrité - La Mère
11. loi de la connaissance
12. loi de l'évolution spirituelle

DES OUTILS DE TRAVAIL

Voici donc vos outils de travail.

N'oubliez pas que vous ne prédisez pas l'avenir; vous indiquez une tendance générale à la personne qui vous consulte, vous la guidez en quelque sorte vers un mieux-être ou à travers les épreuves de la vie. Dès que la personne sait ce qui peut lui arriver elle peut en changer le cours, dans presque tous les cas, sauf en ce qui concerne les autres. Ainsi les tarots peuvent indiquer un accident mais, en étant plus prudent, on peut éviter l'accident. Vous fumez? Les tarots peuvent vous annoncer un cancer des poumons (habituellement le 3 (poumons), et le 12 (la toxicomanie). La personne qui cesse alors de fumer peut changer le cours des choses.

Voilà l'aide que vous pouvez apporter. Plus loin, en annexe, vous avez les maisons doubles de l'année (les maisons signifient les situations, ce que vous vivez intimement, mais aussi les 12 grandes lois cosmiques).

Je soulignerai, avant de plonger dans le vif du sujet, que vous devriez lire le livre au complet avant de commencer à interpréter le tarot; comme plusieurs éléments se chevauchent, et comme plusieurs tableaux viennent également expliquer le texte, vous serez alors en mesure de saisir certains éléments et certaines explications qui, au départ, pourraient vous sembler «obscures».

À vous de jouer maintenant !

LIONEL CHAYER

COMMENT INTERPRÉTER LE TAROT

Il faut lire les lames du tarot dans un endroit calme, et préférablement être isolé avec la personne qui nous consulte puisque certaines références affectives ou familiales, parfois même professionnelles, doivent demeurer secrètes pour toute personne autre que celle qui consulte. N'oubliez pas que, bien souvent, la personne qui vient vous consulter a des problèmes plus ou moins graves et qu'elle a besoin d'aide pour s'en sortir. Il ne faut donc rien dire si vous ne percevez rien et, surtout, évitez d'annoncer des «catastrophes» simplement pour impressionner. N'oubliez jamais que vous avez la vie de quelqu'un entre vos mains et que vous n'avez pas le droit d'affirmer des choses si vous n'êtes pas convaincu. Si vous pouvez prévenir contre certaines prédispositions à certaines maladies par exemple et, dans ce cas, inciter à consulter un médecin, vous ne devez pas dire aux gens comment agir. Laissez aussi la personne qui vous consulte parler et se confier après que vous ayez abordé un point important ou une question sensible. Vous êtes là pour aider, et non pour culpabiliser la personne, évitez donc de porter des jugements moraux. Enfin, mettez-y beaucoup d'amour, de compréhension et de discernement et vous vous sentirez vraiment comme un guide, un «orienteur».

La clé de l'interprétation, en dehors des symbolismes révélés dans ce livre, est la «pratique», plus vous pratiquerez, plus vous saisirez le véritable sens du symbolisme et plus votre interprétation sera complète et précise. Ne désespérez pas, il y a un apprentissage à faire, mais sachez que vous atteindrez la compréhension.

Je soulignerai ici, que la méthode que je privilégie, et la plus significative, je crois, est celle reliée aux 12 maisons astrales (aussi appelées 12 maisons cosmiques). Elles représentent notre itinéraire dans cette vie, notre mission (si petite soit-elle), la correction des erreurs passées et l'évolution de l'être. Elle s'applique aussi à la date de naissance, toujours très importante pour l'interprétation.

N'oubliez pas, non plus, de consulter régulièrement la première section pour connaître le symbolisme de chacune des lames que vous tirez ou que tire la personne qui vous consulte.

MÉTHODE EN CROIX

MOYENS QUI PEUVENT CHANGER LE RÉSULTAT
LAME 3

Concerne aussi la carrière et la profession

LAME 1 ***INFLUENCE*** MOI mes actions	***LAME 5*** Concerne ceux qu'on aime; conjoint(e), enfants, loisirs	***LAME 2*** ***RÉSULTAT*** Qui peut être changé. Concerne aussi le conjoint

ATTITUDES PSYCHOLOGIQUES
LAME 4
Au foyer, vers le public, la famille.

Quel que soit le résultat, soyez positif, restez intègre.

Faites sortir (ou sortez, si c'est pour vous-même) 5 lames, les unes à la suite des autres et placez-les selon l'illustration qui apparaît ci-dessus. Cette méthode est facile; on peut y recourir tous les jours. Profitez-en pour voir si votre interprétation est correcte, faites-le, le matin. Voir le symbolisme du tarot en début de livre et surtout pour les nombres aux pages suivantes.

LES 12 MAISONS DU TAROT

La méthode que je crois la plus importante et la plus juste pour percevoir le passé, le présent ou le futur comme pour prévoir l'avenir, est celle des 12 maisons astrologiques (que j'ai baptisé les 12 maisons du tarot, mais pour l'explication je m'en tiendrai au nom des maisons astrologiques). La raison pour laquelle je privilégie cette méthode, c'est que ces 12 maisons astrologiques nous renseignent sur l'itinéraire de notre vie, le pourquoi de l'existence, nos amours, notre travail, la santé, ceux qu'on aime, parents, enfants, amis, le pourquoi de l'existence, etc.

Plus loin, clairement identifié, vous trouverez l'interprétation de chaque maison (chacune représentant une loi cosmique), aussi est-il utile de garder cette référence près de vous, lorsque vous interprétez les tarots jusqu'à ce que vous le sachiez par coeur. Vous trouverez également un autre tableau semblable que vous utiliserez pour la personne qui vous consulte; vous commencerez par inscrire, dans ce tableau, la date de naissance de la personne qui vous consulte. Exemple: une personne née sous le signe du Taureau aura sa place en maison 1; vous allez voir ensuite, si vous ne le connaissez pas, le nombre attribué au Taureau qui figure sur le tableau «Astrologie» (Taureau est le signe 2 du zodiaque). Vous placerez ensuite ce nombre en maison 1, à côté du signe Taureau. D'ailleurs, pour vous faciliter la tâche, vous trouverez l'exemple d'un tableau que vous pourrez recopier (tableau 3). Poursuivons: après avoir inscrit le nombre 2 en maison 1, vous inscrirez le signe suivant, soit le Gémeaux, le nombre 3, dans la deuxième maison; puis, dans la troisième maison, viendra le Cancer, le nombre 4; dans la quatrième maison, le Lion, le nombre 5, et ainsi de suite jusqu'à la douzième maison.

Ainsi, non seulement vous allez interpréter les lames mais aussi, et plus important encore, vous le ferez selon votre propre signe de naissance.

Après avoir mélangé les lames, faites-les couper en trois paquets par la personne qui vous consulte. Remettez-les ensemble et procédez ainsi: prenez à chaque fois la troisième lame, soit 2 que vous mettez de côté, et la troisième que vous déposez dans chaque maison en commençant pa la première maison, la deuxième maison, la troisième maison et ainsi de suite. Ces 12 lames représentent l'influence passée et présente. N'oubliez pas de faire votre interprétation en tenant compte du symbolisme de chaque maison. Exemple: la maison 2, représente l'argent, les biens, les avoirs, etc. ; la lame indiquera donc si les finances sont bonnes.

Il y a aussi la méthode «de l'année», c'est-à-dire la lame qui indiquera les grandes tendances de l'année. Vous trouverez, sous le titre de «Maisons doubles annuelles» et sous celui de «Définitions et méthodes des maisons doubles». Pour percevoir les événements, vous devez prendre la lame de chaque mois, dans l'année que vous allez vivre, et que vous poserez dans chaque maison, tout en tenant compte, bien sûr, de la date de naissance et du signe astrologique.

N'hésitez pas à vous servir des références symboliques présentées plus loin sous le titre de «Maisons doubles annuelles» et sous celui de «Définitions et méthodes des maisons doubles». Utilisez les maisons doubles de l'année. Voici un exemple qui vous facilitera la compréhension: vous partez toujours de la date la plus proche de votre anniversaire, en vous fiant aux renseignements donnés au tableau 5, ceci correspond à la maison 3 / XI de l'année. Allez ensuite au tableau 6 où vous pourrez recueillir les informations pertinentes.

Ensuite, vous tirez d'autres lames que vous placez dans la maison appropriée, c'est-à-dire la maison de chaque mois. Vous aurez donc ainsi, les cartes d'influences qui vous permettront d'interpréter les événements de l'année à venir.

Certes, cela peut paraître difficile à comprendre. Toutefois, en lisant attentivement les pages qui suivent, avec un peu de patience et un peu de pratique, vous saisirez toutes les subtilités et saurez rapidement comment procéder, notez également que je me ferai un plaisir de répondre à vos questions (vous trouverez mes coordonnées à la fin de ce livre).

EXPLICATION DE LA MÉTHODE

Prenons comme exemple la date de naissance d'une personne née le 11 mai 1931. * Le jour de la naissance est, de toute évidence, «l'époque la plus marquante» car le moment le plus remarquable et le plus important, pour cet être unique au monde, comme l'a souligné Fitzhugh Dodson ** est son entrée dans ce monde. C'est aussi le jour où il dépend le plus de son entourage et de sa mère en particulier, d'où la notion d'association et de liens affectifs avec l'entourage confirmant la signification de la Maison 1. En outre de son caractère, ses aptitudes ou inaptitudes devront être soient développés ou atténués; il suffit de lire DODSON (op. cit.) pour s'apercevoir des convergences entre sa définition et celle de l'astrologie. Comme il le dit en parlant du nouveau-né: «Ses façons de manger et de dormir sont les siennes propres. Et c'est bien ainsi. . . Ce style commence dès sa naissance. . . Apprenez donc à apprécier ce caractère unique».

Voilà exactement ce que dit la MAISON 1 astrologique. Elle représente le sujet, son MOI, son caractère inné, l'hérédité de ses parents et de ses ancêtres. En résumé, cette maison nous renseigne sur la volonté du sujet, son caractère, ses actions et les rencontres, les associations, les unions ou le mariage qu'il contractera plus tard, par rapport à sa maison opposée, la septième. Elle indiquera ce qu'il offre au monde, sa projection sur celui-ci.

Ces maisons, au nombre de douze, défilent*** en succession jour après jour, mois après mois, année après année. Pour le moment, à l'aide du tableau et de l'exemple décrits dans les pages suivantes, vérifiez dans quelle maison de l'année vous êtes pour ainsi déchiffrer par le symbolisme des maisons ce que l'année vous apporte de probabilités ou possibilités il faut toujours compter également avec le libre arbitre dont jouit chacun. Ensuite, ajoutez la lame de l'année dans la maison indiquée. Elle vous donnera les tendances de l'année. Vous pouvez aussi sortir une lame pour chaque mois à partir de la maison de l'année. Les tableaux 2 et 6 vous serviront comme modèles. Vous constaterez qu'ils vont de 28 jours en 28 jours, l'avant-dernier mois vous devez donc ajouter 29 jours ou 30 jours si c'est une année bissextile.

Cette loi cosmique de l'année vous devez la vivre, la comprendre, l'intérioriser selon votre intelligence et vos niveaux de conscience. N'oubliez pas que le libre arbitre existe dans la mesure où vous en êtes conscient(e) et qu'il est proportionnel aux actes et actions qui ont marqué le passé: ce que tu sèmes, tu le récoltes, ne dit-on pas...

* Seul le jour de naissance suffit.

** Fitzhugh Dobson. Tout se joue avant six ans, éd. Marabout, traduction française, éd. Robert Laffont, Paris, 1972, p. 27-28.

*** Voir la signification des 12 maisons aux pages suivantes.

Tableau 5

MAISONS DOUBLES ANNUELLES SELON LES ÂGES DE LA VIE

PASSÉ EN MAISONS	*AUX ANNÉES SUIVANTES*								
1 / I	1	13	25	37	49	61	73	85	97
2 / XII	2	14	26	38	50	62	74	86	98
3 / XI	3	15	27	39	(51)	63	75	87	99
4 / X	4	16	28	40	52	64	76	88	100
5 / IX	5	17	29	41	53	65	77	89	101
6 / VIII	6	18	30	42	54	66	78	90	102
7 / VII	7	19	31	43	55	67	79	91	103
8 / VI	8	20	32	44	56	68	80	92	104
9 / V	9	21	33	45	57	69	81	93	105
10 / IV	10	22	34	46	58	70	82	94	106
11 / III	11	23	35	47	59	71	83	95	107
12 / II	12	24	36	48	60	72	84	96	108

Ce tableau indiquera qu'à chaque anniversaire vous serez dans la maison de l'année tel que décrit dans l'exemple suivant: une personne née le 11 mai 1931 à 51 ans à son anniversaire du 11 mai 1982. Nous cherchons dans le tableau: 51 ans, qui correspond à la Maison 3 / XI de l'année.

En référant au tableau 6, vous trouverez de cette façon les tendances de l'année en cours (laquelle, dans les faits, débute toujours six mois avant la date de l'anniversaire).

Exemple: pour la personne née le 11 mai 1931, son année astrologique débutera toujours le 11 novembre. Pour chaque mois, il faut se rappeler de compter 28 jours, et l'avant dernier mois 29 ou 30 jours si c'est une année bissextile.

Les 6 derniers mois passés dans le ventre de la mère nous suivent tout la vie. Autre exemple: quelqu'un né le 10 janvier 1950. Chaque année astrale débutera vers le 10 juillet pour se terminer vers le 10 juillet de l'année suivante (voir autre exemple en tableau 6).

Tableau 6

DÉFINITIONS ET MÉTHODES DES MAISONS DOUBLES À CHAQUE ANNÉE SELON L'ÂGE

Tendance de l'année à appliquer à chaque mois. Ne pas oublier que le libre arbitre joue un rôle important durant cette période. (Pour ce modèle, l'année astrale est du 11 novembre au 11 novembre).

C'est l'année qui nous donne les grands détails des événements à venir, et les mois les petits qui viennent s'ajouter à ceux de l'année.

(Vous débutez toujours à l'anniversaire la maison double de l'année en cours selon le tableau 5 et vous ajoutez ses douze mois à la suite).

Ne pas oublier que pour certaines années, c'est souvent la routine, alors que pour d'autres années, il y a vraiment du changement.

Le point d'interrogation (?) signifie «peu probable».

(Inscrire la date de naissance à partir du mois d'anniversaire. Exemple: 11 mai 1931. Selon le tableau 5, la personne a eu 67 ans ce qui nous donne la maison de l'année 7 / VII. Revenir au tableau 6 et inscrire à chaque mois, à partir de l'anniversaire, les dates. Chaque mois est de 28 jours. Le dernier mois avant l'anniversaire est de 29 jours).

du 23/11/98 au 20/12/98

MAISON 2 / XII à lire avec l'année 8 / VI

Maison des acquisitions. C'est le temps de faire un peu plus d'argent. Attention aux dépenses. L'argent par le travail. Augmentation. Peut-être la fin ou le début d'une chose. Papier à signer. Les achats ou les dépenses. Maison des contrats, de la loi juridique ou notariale. Maison du commerce. Gros mois de travail. Attention à la fatigue pouvant mener à des problèmes de santé ou autre.

du 21 / 12 / 98 au 17 / 10 / 99

MAISON 3 / XI à lire avec l'année 8 / VI

Maison des étudiants, des enseignants, des cours ou examens à passer. Les déplacements, l'entourage. Téléphones, lettres, frères, soeurs, beaux-frères, belles-soeurs. Relations, les oncles, les tantes, cousins, cousines, tout ce qui peut leur arriver de positif ou de négatif en cette période. Rencontres et amitiés nouvelles.

du 18 / 01 / 99 au 14 / 02 / 99
MAISON 4 / X à lire avec l'année 8 / VI

La parenté en général et le père en particulier (rencontres familiales). La famille, le travail. Améliorations, acquisitions ou changement. Maison où l'on peut penser à déménager ou acheter ou construire sa maison. On pense au futur. Attention aux discussions familiales.

du 15 / 02 / 99 au 14 / 03 / 99
MAISON 5 / IX à lire avec l'année 8 / VI

Tout ce qui concerne nos amours, nos enfants (leurs amours). Ce qui peut arriver de positif ou de négatif du côté affectif selon nos dispositions du moment. Maison de ceux qu'on aime. Les rencontres ici sont importantes. Vacances, voyages, distractions, la chance, spéculation, loto, l'argent, les amis, rentrée d'argent, les dépenses. Pour ceux qui ne sont pas mariés, possibilité de rencontre ou consolidation de leur amour. Si négatif: rupture ou remise en question du couple.

du 15 / 03 /99 au 11 / 04 / 99

MAISON 6 / VIII à lire avec l'année 8 / VI

Tout ce qui concerne la carrière, le travail (amélioration ou changement). Votre santé, la santé de ceux qu'on aime, la solitude. Maison des petits animaux. Quelquefois amélioration du foyer ou déménagement ou on pense à le faire. C'est souvent un gros mois de travail.

du 11 / 05 / 98 au 07 / 06 / 98

MAISON 7 / VII début de l'année et ses tendances. Concerne aussi le mois.

Maison de rencontre, d'union, quelquefois de mariage. Temps de recyclage pour le couple ou les associés, conjoint(e), les rencontres familiales, pour ceux qui sont unis ou mariés. Évitez les discussions qui pourraient conduire à une impasse, même les amoureux doivent être prudents. Temps pour des vacances ou un voyage à deux.

du 08 / 06 / 98 au 05 / 07 /98

MAISON 8 / VI à lire avec l'année 7 / VII

Il peut y avoir pertes ou gains inattendus. Cette période peut marquer la fin d'une chose pour le début d'une autre (soit travail, amour, etc.) Le foyer, les associations, la loi, papier à signer, les achats, dépenses ou ventes, les contrats, la loto, les acquisitions, les dons. La santé en général de ceux qui nous entourent. Pour d'autres, possibilité d'héritage ou de succession à régler. (Cette maison deviendra maison astrale de l'année à partir du 11 novembre 1998 jusqu'au 11 novembre 1999).

du 06 / 07 / 98 au 02 / 08 /98

MAISON 9 / V à lire avec l'année 7 / VII

Période de cours ou d'examens à passer, pour d'autres, enseignement ou études. Possibilité de voyages à l'étranger, nouvelles de l'étranger, téléphones, lettres. Les amitiés, frères, soeurs, beaux-frères, belles-soeurs, cousins, cousines, neveux, nièces, oncles, tantes, tout ce qui peut leur arriver de positif ou de négatif. Souvent on a affaire à eux ou ils ont besoin de nous.

du 03 / 08 / 98 au 30 / 08 / 98

MAISON 10 / IV à lire avec l'année 7 / VII

Maison de la mère en particulier et de la famille en général. Les changements ou améliorations de la position sociale. Des transformations dûes à des achats ou ventes. La profession peut prendre une nouvelle orientation. Quelquefois le commerce est concerné. Un nouveau foyer ou amélioration de celui-ci (sa maison).

du 31 / 08 / 98 au 27 / 09 / 98

MAISON 11 / III à lire avec l'année 7 / VII

Maison de rencontres, d'amitiés nouvelles, tout ce qui peut arriver de positif ou de négatif à nos amis, nos relations, les projets, les plaisirs, les vacances, les voyages. Font partie de cette période, nos amours, nos enfants, la chance, spéculation, loto, ceux qu'on aime. Maison de la protection. Quelquefois maison de l'illégitimité pour nous ou ceux qui nous entourent. Temps fécond.

du 28 / 09 / 98 au 25 / 10 / 98

MAISON 12 / II à lire avec l'année 7 / VII

Maison d'exil, de repli sur soi-même, la solitude nous hante. Notre santé (fatique, stress, etc.). Beaucoup de travail, quelquefois fastidieux. La santé de ceux qui nous entourent. Lassitude morale. Amélioration ou changement soit du foyer ou du travail. Quelquefois pour certains l'hospitalisation. Petits ennuis de toutes sortes. C'est aussi quelquefois une maison mystique (religieuse) ou d'évolution intérieure.

du 26 / 10 / 98 au 22 / 11 / 98

MAISON 1 / I à lire avec l'année 7 / VII

Tout semble se passer autour de votre personne. Le Moi, le recyclage, conjoint(e), notre famille (les rencontres familiales). Les contrats, la loi. On se rencontre souvent en maison 1, c'est la maison de l'union, du mariage pour ceux qui ne le sont pas déjà, mais si cette période est négative, ça pourrait être la rupture ou toute décision qui pourrait impliquer soit une séparation (divorce) ou quelquefois une réconciliation. N'oubliez pas le libre arbitre que nous avons tous. C'est le genre «lune de miel» ou de détente ou encore d'essayer par le dialogue pour mieux comprendre.

POUR MIEUX COMPRENDRE LE SYMBOLISME DE CHAQUE MAISON DOUBLE À MÉMORISER EN VOUS.

MAISON 1 (suite)

1 / I - MOI, L'ÊTRE EN TANT QU'ÊTRE
BÉLIER (feu) Action
MOI, SUJET, SES ACTIONS, SON CARACTÈRE
LOI DE L'ACTION AMOUREUSE

Début ou fin, la cause, le pionnier, le leader. l'énergie, la force, la témérité, l'hérédité. Corps physique, son signe de naissance indiquera son âme. Le caractère passé, présent, futur, son action réfléchie ou impulsive (coup de tête) dans cette vie, sa réputation, sa volonté, son courage. Les défauts et les qualités.

Défavorable: se méfier de son tempérament impulsif, violence, cruauté. Il séduit, inspire l'amour mais n'est pas l'amour. L'amant chez la femme.

MAISON 2

2 / XII -LES POSSESSIONS ET LES ACQUISITIONS TAUREAU (terre) DÉTACHEMENT BIENS, AVOIRS, LE PARTAGE, LE DÉTACHEMENT, L'ARGENT LOI DU DÉTACHEMENT

L'argent, la nourriture, les biens personnels, ses enfants, sa maison. Symbolise la patience, l'endurance, la possession, la jalousie ou le détachement. Ce qu'il a acquis à la sueur de son front. Besoin de stabilité, de sécurité. Tout ce qu'on absorbe. L'héritage, les placements. La nourriture de l'âme par notre travail. L'expérience de la vie. Gère les biens (affaires). Comment on partage notre richesse au niveau du couple. La naissance d'un enfant peut aussi survenir, entrant dans les biens spirituels ou les acquisitions. Le protecteur, le sécuritaire, le travailleur responsable, l'économe. La terre, la semence, la nature. Stabilité, continuité, fécondité.

Défavorable: possessivité, jalousie, entêtement, matérialisme, gourmandise, obstiné, simpliste, naïf, lourdeur, rancune.

Le 2 est relié à la nourriture, tant matérielle que spirituelle de l'être. Il régit la loi du détachement.

MAISON 3

3 / XI - LES RELATIONS FRÈRES-SOEURS GÉMEAUX (air) Niveau de conscience NIVEAUX DE CONSCIENCE, FRÈRES, SOEURS COMMUNICATIONS, ÉTUDES LOI DE LA CONSCIENCE, DE L'INTELLIGENCE

L'intelligence, le côté cérébral, le système nerveux, l'adaptation, la stabilité, la nervosité, les erreurs, la parole non respectée, la franchise ou le mensonge. Les communications, les études, les cours, les mass médias, les écrits. Frères (soeurs), les voisins, les petits déplacements, la course à pieds, le nombre de frères ou soeurs, les cours: primaire et secondaire, les niveaux de conscience du passé et de cette vie. Démarches entreprises; à l'intellect, à la cérébralité, à l'intelligence, aux niveaux de la conscience. Les niveaux de conscience associés à la compréhension de l'autre, la communication avec l'autre.

Défavorable: la dualité, de la ruse, du mensonge, parole non respectée, du pessimisme, de la dépression, de l'inconsistance. Les changements d'humeur, d'idées, de comportement.

Le 3 symbolise la loi de l'intelligence, en ce sens que l'on doit s'efforcer de combler notre ignorance.

Tous les 3, au niveau du symbolisme, sont reliés à la communication (orale ou écrite); aux démarches entreprises, à l'intellect, à la cérébralité, à l'intelligence, aux niveaux de la conscience, mais aussi aux frères, soeurs et au voisinage immédiat.

MAISON 4

4 / X - SES PARENTS, SON FOYER, SON PÈRE
CANCER (eau) Père / Foyer
PÈRE, SON CARACTÈRE, FOYER, SA FAMILLE
SON FOYER
LOI FAMILIALE DU GROUPE

L'entente familiale, le départ du foyer, des parents, le déménagement, la foule, le public. La façon dont se déroulera la fin de la vie. Notre magnétisme, notre maison. La tradition, l'histoire familiale, l'imagination, les humeurs, l'émotivité. La perte de position. Santé du père et caractéristique du père. Les commérages et la médisance.

Le 4 est toujours associé au foyer, au père, aux émotions, mais aussi aux «déménagements». D dans l'année signifie déménagement.

Défavorable: commérage, rêverie, fort en gueule, frivolité, susceptibilité, timide, lunatique, indolence. Ennuis familiaux, séparation des parents ou disparition du père.

Tous les nombres 4 sont reliés symboliquement à la famille, au père en particulier, aux émotions familiales, au public, au foyer, à la maison, à la parenté, aux commérages et à la médisance.

MAISON 5

5 / IX - NOS AMOURS, NOS ENFANTS
LION (feu) Amours / Enfants
AMOUR, LES ENFANTS, LES JOUISSANCES
LOI DE L'AMOUR

La fierté, la noblesse ou l'orgueil, l'égocentrisme, notre façon d'aimer dans le détachement ou la possession. Symbolise le chef, l'organisation, les plaisirs, l'or, les bijoux. Aussi les loisirs, les distractions, les vacances, les spectacles, la jouissance. Le nombre d'enfants, l'accouchement, une fausse-couche. Loto, la chance. Le théâtre, les unions. Il représente l'être aimé, les enfants issus de l'Amour conventionnel (mariage), les jouissances, les loisirs, distractions, vacances, les jeux de hasard, les spéculations, les affaires, les chefs d'entreprises, organisation et planification de la vie matérielle et spirituelle.

Défavorable: l'orgueil, la vanité, le snobisme, l'égoïsme, le joueur, le macho.

Le 5 peut annoncer une naissance future. Le 5 régit l'amour ou l'orgueil. (3-7-11).

Le 5 symbolise la loi de l'amour dans la joie, la non possessivité, la chaleur et non l'égoïsme, l'orgueil, etc.

MAISON 6

6 / VIII - LE TRAVAIL, LA SANTÉ
VIERGE (terre) Travail
TRAVAIL, OBLIGATION,
SANTÉ, L'ÉCOLOGIE
LOI DU TRAVAIL

Le dualisme intérieur, le dur labeur quotidien. Symbolise la pureté, le service, la santé, la médecine naturelle (douce). Le changement de travail, les risques d'accidents, la méthode, l'analyse, la précision, la critique, la peur, la sécurité ou l'insécurité. L'amour des animaux. Les petits animaux. Les hôpitaux. L'alimentation végétarienne. Il régit les ouvriers, les travailleurs, les artisans, la médecine naturelle incluant les guérisseurs, les voyants, les médiums, la dextérité manuelle, la pureté, la perfection et aussi l'insécurité.

Le 6 régit le travail, la sécurité, la santé (maladies graves et accidents bénins). Son «ennemi» est l'insécurité.

Défavorable: dualisme intérieur, peur de souffrir, de se tromper. Insécurité, angoisse, la critique, complexe d'infériorité. Divorce, chômage, BS.

MAISON 7

7 / VII - LES ASSOCIATIONS, LE MARIAGE BALANCE (air) Mariage / Association MARIAGE, ASSOCIATION, CONJOINT, SON CARACTÈRE LOI DU MARIAGE

Les associations de tous genres, les unions, la cohabitation, les mariages ou ruptures, les divorces. Le désir de tranquillité, on fuit les chicanes, les disputes, les emmerdements. La beauté, l'esthétique, la tendresse, l'harmonie, la paix, le raffinement, les arts. Le conjoint, sa santé, son caractère. L'héritage du conjoint. Procès. Symbolise les relations sociales et amoureuses (flirt, concubinage, mariage, etc.) Symbolise aussi une période au cours de laquelle on doit assumer ses responsabilités. La maîtresse chez l'homme. La soeur, l'amie, la rivale, la bru.

Défavorable: ne veut que la beauté, le refus des responsabilités allant à la paresse, le superficiel, la légèreté, la rivalité, les passions, la possession, la séduction. (La laideur côtoie la beauté).

Le 7 est toujours en relation avec l'harmonie, l'équilibre. Il représente aussi la loi du couple.

MAISON 8

8 / VI- LA NAISSANCE, LA VIE, LA RENAISSANCE, LA MORT SCORPION (eau) Justice / Procréation JUSTICE, PROCRÉATION, LE SEXE LOI DE LA PROCRÉATION

L'avortement, les opérations aux organes génitaux. Symbolise les sciences occultes, la parapsychologie. Les fonds, les cadeaux, les successions, les héritages. La loi, la justice humaine et divine, les impôts, les dettes, les emprunts. Concerne le comportement sexuel, la fertilité ou la stérilité, le blocage sexuel, ou la culpabilisation, le viol, la prostitution. Papiers à signer, secrets, mort, perte, fortune du conjoint, remboursement. Assurance-chômage, pensions. Secrets familiaux, octroi, transformation. Symbolise les actions positives ou négatives que l'on fait dans la vie. Symbolise la volonté, le courage et la fierté. Peut symboliser le leader, l'organisateur, la loi, la justice, mais aussi le psychologue et le sexologue. Se réfère aussi au comportement sexuel comme au rythme naissance-vie-mort-renaissance, en ce sens, qu'il marque la fin d'une chose et le début d'une autre. Vivre avec l'être aimé, émotions basées sur la sexualité (toujours difficile de vivre sa vie sexuelle lorsque la vie familiale est en désordre). Fanatisme, agressivité, vengeance, revendications, jalousie, envie domination, pouvoir, côté morbide et destructeur, les poisons, le pus, MTS.

Le 8 est régi par la loi de la procréation et de la justice.

MAISON 9

9 / V - L'ÉVEIL À LA SPIRITUALITÉ,
LES ÉTRANGERS
SAGITTAIRE (feu) Étranger
L'ÉTRANGER, VOYAGE,
BEAUX-FRÈRES, BELLES-SOEURS,
GAINS EN ARGENT
LOI DE LA DIFFUSION
L'ENSEIGNEMENT

Symbolise l'animateur, le sportif, le vendeur, les beaux-frères et belles-soeurs, la jovialité. La fierté, les hautes études: philosophiques ou spirituelles, les richesses spirituelles. Le contact à l'étranger, les voyages, la protection, l'abondance les excès, les dépenses. Beau parleur, l'enseignant philosophique. Symbolise le protecteur le parrain, le «distributeur» des richesses spirituelles et matérielles. C'est l'argent que l'on va recevoir, et qui peut provenir de diverses sources telles le travail, les héritages ou la loterie. Il concerne habituellement les sports et les voyages, et évoque souvent les étrangers (parmi ceux-là, les membres de la belle-famille). Le jeu, la curiosité, la jovialité, l'éthique, l'enthousiasme, la témérité, la fierté, l'autonomie, l'exotique, le goût de liberté et d'aventure.

Défavorable: de l'orgueil, du jeu, la double personnalité, l'instabilité, le dépensier, le jouisseur invétéré.

Le 9 est le «maître» des rencontres.

Le travail autonome.

MAISON 10

10 / IV -LA PROFESSION, LE PAYS, LA MÈRE, LA RÉPUTATION CAPRICORNE (terre) Mère / Pays MÈRE, SON CARACTÈRE, PAYS, CARRIÈRE PROFESSION LOI DE LA SAGESSE

Symbolise le patron, le gouvernement, l'instructeur. le juge, le maître, les personnes âgées, le temps, l'immeuble, les assurances. Le jugement, la solitude le besoin de sécurité. Contexte social, la carrière, notre relation avec la mère, la famille, l'entourage social. Vie sociale, réussite sociale, maturité, sagesse, gros achats. L'architecture, la politique, l'ingénieur, le comptable, la discipline. Symbolise l'autorité, la carrière ou la profession. Tout autant de choses en relation avec la réputation, mais aussi la sagesse et la maturité. Concerne la mère de chacun. Fait habituellement référence au lieu où l'on vit comme aux membres de notre famille. Et la mère en particulier.

Défavorable: conservatisme, autorité, despotisme, austérité, solitude, ennui, ascétisme, déclin, aime juger les autres. Manque d'intégrité.

MAISON 11

11 / III - LA RECHERCHE DE L'ÂME SOEUR
VERSEAU (air) Connaissance
CONNAISSANCE, TECHNOLOGIE, TRANSPORT, AMITIÉS, AME SOEUR
LOI DE LA CONNAISSANCE

La science, la technologie, la connaissance, l'intuition, les sciences, la recherche, les moyens de transport modernes, la télé, la radio, le ciméma. La fraude, l'illégitimité, l'illégalité. Les grandes amitiés, les amours inconventionnels, les enfants nés hors mariage. Avortement, chance, jeux, groupements, faillite, le commerce, l'électricité.

Le commerce, la faillite.

MAISON 12

12 / II - LE DON DE SOI, LE SACRIFICE POISSON (eau) SPIRITUALITÉ, LES ÉPREUVES, TOXICOMANIE, HOPITAUX, PRISONS, ÉGLISES, LOI DE L'ÉVOLUTION SPIRITUELLE

L'idéalisme, la religiosité, la médecine officielle, les maladies chroniques, les illusions, la drogue, l'alcool. Les dépressifs, les poètes, les peintres, les musiciens. Les épreuves, les difficultés de la vie. l'évolution, la spiritualité, la foi. Hospitalisation, solitude, prison, chagrin. L'hôtellerie, restaurant, baptême, malheurs, exil. Rêves, ésotérisme, de l'eau à l'alcool. La natation, le dévouement. Mangeur de pilules et de vitamines.

Les secrets le plan spirituel de l'être.

Défavorable: les maladies psychiques, la peur, le stress, dépression, suicide. Rêver en couleur, indécision, paresse, timidité, possessivité. Les toxicomanies. Ne vit pas le moment présent, apprendre à vivre pleinement et à aimer ce que l'on fait.

1 / I MOI - L'ÊTRE EN TANT QU'ÊTRE	2 / XII LES POSSESSIONS ET ACQUISITIONS	3 / XI LES RELATIONS FRÈRES-SOEURS
Début-fin, cause le pionnier, le leader. L'énergie, la force, la témérité, l'hérédité. Corps physique, son signe de naissance indiquera son âme. Le caractère passé, présent, futur, son action, sa réputation, sa volonté, son courage.	L'argent, la nourriture, les biens personnels, ses enfants, maison. Symbolise: patience, endurance, possession, jalousie, ou le détachement. Ce qu'il a acquis à la sueur de son front. Besoin de stabilité, de sécurité. Tout ce qu'on absorbe.	L'intelligence, le côté cérébral, le système nerveux, l'adaptation la stabilité, nervosité, les erreurs, la parole non respectée, la franchise ou le mensonge. Les communications, les études, les cours, les mass médias, les écrits.

7 / VII ASSOCIATIONS LE MARIAGE	8 / VI NAISSANCE, VIE RENAISSANCE LA MORT	9 / V L'ÉVEIL A LA SPIRITUALITÉ, LES ÉTRANGERS
Associations de tous genres, unions, cohabitations, mariages ou ruptures, divorces. désir de tranquilité, on fuit les chicanes, les disputes, les emmerdements. La beauté, l'esthétique, la tendresse, l'harmonie, paix, raffinement et les arts.	L'avortement, opérations aux organes génitaux. Symbolise les sciences occultes, parapsychologie. Les fonds, cadeaux, successions, héritages, La loi, justice humaine et divine impôts, dettes, emprunts. Concerne le comportement sexuel, fertilité, ou stérilité, le blocage sexuel, ou la culpabilisation, viol, la prostitution.	Symbolise l'avocat, l'animateur, le sportif, le vendeur, les beaux-frères, belles-soeurs, la jovialité, la fierté les hautes études philosophiques ou spirituelles, les richesses spirituelles contact à l'étranger voyages, protection, l'abondance, les excès, les dépenses.

4 / X SES PARENTS, SON FOYER, PÈRE	5 / IX NOS AMOURS NOS ENFANTS	6 / VIII LE TRAVAIL LA SANTÉ
L'entente familiale, le départ du foyer des parents, le déménagement, la foule, le public. La façon dont se déroulera la fin de vie. Notre magnétisme, notre maison. La tradition, l'histoire familiale, l'imagination les humeurs, l'émotivité.	La fierté, la noblesse ou l'orgueil, l'égocentrisme, notre façon d'aimer dans le détachement ou la possession. Symbolise le chef, l'organisation, les plaisirs, l'or, les bijoux. Aussi les loisirs distractions, les vacances, spectacles la jouissance.	Le dualisme, intérieur le dur labeur quotidien. Symbolise la pureté le service, la santé, la médecine naturelle (douce). Le changement de travail, les risques d'accidents, la méthode, l'analyse, la précision, la sécurité ou l'insécurité.

10 / IV PROFESSION, PAYS, LA MÈRE LA RÉPUTATION	11 / III RECHERCHE DE L'ÂME SOEUR	12 / II LE DON DE SOI, LE SACRIFICE
Symbolise le patron le gouvernement, l'instructeur, le juge le maître, les personnes âgées, le temps, l'immeuble, les assurances, le jugement, la solitude, besoin de sécurité. Contexte social, la carrière, notre relation avec la mère, la famille, l'entourage social.	La science, la technologie, la connaissance, l'intuition, les sciences, la recherche, les moyens de transport modernes, la télé, la radio, le cinéma. La fraude, l'illégitimité, l'illégalité. Les grandes amitiés, les amours inconventionnels, les enfants nés hors mariage.	L'idéalisme, la religiosité, la médecine officielle, les maladies chroniques, les illusions, la drogue l'alcool. Les dépressifs, les poètes les peintres, les musiciens. Les épreuves, les difficultés de la vie. L'évolution, la spiritualité, la foi.

FEUILLE DE TRAVAIL PERSONNEL

1 — Feu	2 — Terre	3 — Air
BÉLIER **ACTION**	TAUREAU **DÉTACHEMENT**	GÉMEAUX **NIVEAUX DE CONSCIENCE**
MOI SUJET SES ACTIONS SON CARACTÈRE	BIENS AVOIRS LE PARTAGE LE DÉTACHEMENT L'ARGENT	NOTRE NIVEAU DE CONSCIENCE FRÈRES-SOEURS COMMUNICATION ÉTUDES
Née le 11 mai 1931 Taureau	Gémeaux	Cancer
2	**3**	**4**

7 — Air	8 — Eau	9 — Feu
BALANCE **MARIAGE ASSOCIATION**	SCORPION **JUSTICE ET PROCRÉATION**	SAGITTAIRE **ÉTRANGER**
MARIAGE ASSOCIATION CONJOINT SON CARACTÈRE	JUSTICE PROCRÉATION SEXE	L'ÉTRANGER LES VOYAGES FRÈRE SOEUR GAINS D'ARGENT
Scorpion	Sagittaire	Capricorne
8	**9**	**10**

FEUILLE DE TRAVAIL PERSONNEL

4 CANCER **Eau**	**5** LION **Feu**	**6** VIERGE **Terre**
PÈRE ET FOYER	**AMOUR-ENFANTS**	**TRAVAIL**
PÈRE SON CARACTÈRE FOYER SA FAMILLE SON FOYER	NOS AMOURS LES ENFANTS LES JOUISANCES	LE TRAVAIL OBLIGATOIRE LA SANTÉ L'ÉCOLOGIE
Lion	Vierge	Scorpion
5	**6**	**7**

10 CAPRICORNE **Terre**	**11** VERSEAU **Air**	**12** POISSON **Eau**
MÈRE-PAYS	**CONNAISSANCE**	**SPIRITUALITÉ ÉPREUVE**
MÈRE SON CARACTÈRE PAYS CARRIÈRE PROFESSION	CONNAISSANCE TECHNOLOGIE TRANSPORT AMITIÉS ÂME SOEUR	SPIRITUALITÉ ÉPREUVES TOXICOMANIE HOPITAUX PRISONS ÉGLISES
Verseau	Poisson	Bélier
11	**12**	**1**

FEUILLE DE TRAVAIL PERSONNEL

1 Feu BÉLIER **ACTION**	2 Terre TAUREAU **DÉTACHEMENT**	3 Air GÉMEAUX **NIVEAUX DE CONSCIENCE**
7 Air BALANCE **MARIAGE ASSOCIATION**	**8** Eau SCORPION **JUSTICE ET PROCRÉATION**	**9** Feu SAGITTAIRE **ÉTRANGER**

FEUILLE DE TRAVAIL PERSONNEL

4 — Eau	5 — Feu	6 — Terre
CANCER	LION	VIERGE
PÈRE ET FOYER	**AMOUR-ENFANTS**	**TRAVAIL**

10 — Terre	11 — Air	12 — Eau
CAPRICORNE	VERSEAU	POISSON
MÈRE-PAYS	**CONNAISSANCE**	**SPIRITUALITÉ ÉPREUVE**